우리는 바른 의료를 누리고 있는가

지은이
정재현

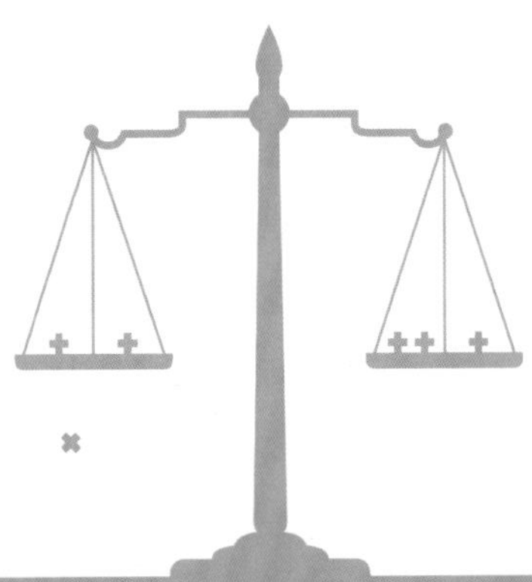

Are We Getting Proper Medical Care?

우리는 바른 의료를 누리고 있는가

첫째판 1쇄 인쇄 | 2022년 4월 12일
첫째판 1쇄 발행 | 2022년 4월 21일

지 은 이 정재현
발 행 인 장주연
출판기획 이성재
책임편집 김수진
편집디자인 조원배
표지디자인 김재욱
일러스트 이다솜
발 행 처 군자출판사(주)
등록 제4-139호(1991. 6. 24)
본사(10881) **파주출판단지** 경기도 파주시 회동길 338(서패동 474-1)
전화(031) 943-1888 팩스(031) 955-9545
홈페이지 | www.koonja.co.kr

ISBN 979-11-5955-869-6
정가 12,000원

우리는 **바른 의료**를 **누리고 있는가**

지은이
정재현

추천사

2000년 의약분업 사태 이후, 의료계와 정부의 의료보험 및 의료 정책과 관련한 줄다리기는 매번 정부의 일방적인 승리로 귀결되어 왔습니다. 정부의 저수가 유지 및 강압적인 의료계 압박 정책으로 인해 그동안 의료보험 및 의료 정책 결정 과정에 있어 의료계의 입장은 거의 반영되지 못해 왔던 것이 현실입니다. 의료계의 요구는 적정 수가를 반영해 달라는 요구에서부터 시작하여, 교과서적인 진료만이라도 할 수 있는 의료 환경을 만들어 달라는 요구를 거쳐 이제는 필수의료만이라도 살려달라는 요구에 이르게 되었습니다.

하지만 정부는 기승전 수가 안정화를 이유로 의료계의 요구는 거들떠 보지도 않고, 오로지 자신들이 설정한 방향대로 정책을 추진하고 있습니다. 의료계의 요구를 집단의 이익만을 위한 이기적인 요구로 매도하고 배제하면서도, 정작 정부는 의료를 자신들의 정치적인 도구로만 이용해 왔습니다. 강제지정제, 저수가 정책 등으로 인해 시간이 갈수록 왜곡되어 가고 있던 대한민국 의료 시스템은 정부의 포퓰리즘 의료 정책으로 인해 곪을대로 곪아가고 있습니다.

정부는 건강보험 보장성을 강화하겠다는 목표로 문재인 케어와 같은 포퓰리즘 정책들을 남발했지만 건강보험 보장성은 전혀 개선되지 않았고, 국민들의 보험료 및 의료비 부담은 늘어만 가고 있으며 건강보험 재정은 앞으로 적자가 더욱 심해

질 것으로 예측되고 있습니다. 의사와 간호사를 비롯한 보건의료 인력들은 연일 격무에 시달리고 있지만, 제대로 된 보상도 받지 못하며 번아웃 되어 점점 많은 인력들이 의료 현장에서 이탈하고 있습니다. 특히 시간이 갈수록 필수과를 전공하려는 의사들이 줄어들자 의료 현장에서는 환자들도 모르게 불법보조인력들이 의사들의 역할을 대체하고 있는 등 의료 현장의 왜곡은 점점 심해지고 있는 형편입니다.

대한민국 의료의 모든 문제점은 최초 잘못 설계되었던 의료보험 제도로부터 시작되었고, 이후의 정부에서도 보험 제도의 근본적인 문제점을 고치려 하지 않았기 때문에 의료 시스템의 문제는 점점 심화되어 왔습니다. 그래서 지금부터라도 의료 보험 제도의 문제를 고치지 않는다면, 대한민국 의료 시스템은 파국을 맞이할 수도 있습니다. 이러한 상황에서 대한민국 의료보험 제도의 문제점과 대안을 제시하는 이 책의 내용은 의료인뿐만 아니라 모든 대한민국 국민들이 일독할 가치가 있다고 봅니다.

정재현 선생님은 의예과 학생시절부터 의약분업 투쟁에 적극적으로 나섰고, 이후 여러 의료계 단체 활동을 경험하였으며 2018년부터는 대한의사협회 산하에서 봉직의를 대표하는 직역단체인 대한병원의사협의회의 임원으로서 활발하게 활동을 이어오고 있습니다. 협의회의 논리적인 장문의 성명서를 초안하는 독보적인 능력을 보여주고 있으며, 13만 의사들을 대표하는 전략가이자 이론가로 평가받고 있는 분입니다. 만약 독자 여러분께서 향후 대한민국 의료계의 정책 방향을 가늠해보고 싶으시다면 꼭 이 책을 독파하시기를 권해드립니다.

감사합니다.

대한병원의사협의회장 주 신 구

추천사

이 책의 내용에는 다음과 같은 문구가 나온다.

'선진국들이 완벽해 보이는 대한민국의 의료 시스템을 따라하지 못하는 이유, 아니 더 정확히 말하면 따라 하지 않는 이유는 의외로 단순 명료하다. 선진국들이 봤을 때 대한민국 의료 시스템은 국가 권력에 의한 국민들의 자유 제한이 필요하다는 점, 특정 집단의 과중한 노동이 시스템 유지에 필수적이라는 점, 그리고 장기적으로 지속 불가능한 시스템이라는 점 때문에 따라할 필요성을 느끼지 못하는 것이다. 따라서 외국 선진국들이 바라봤을 때 대한민국의 의료 시스템은 기형적인 형태로서 좋은 성과를 내고는 있지만, 언제 무너질지 모르는 불안정한 시스템으로 보이는 것이다.'

나는 상기에 적혀져 있는 내용이 이 책의 핵심 내용이라고 생각한다. 많은 국민들은 막연하게 대한민국의 의료 시스템이 최고라고 생각하고 있지만, 세계에서 바라보는 냉정한 현실을 직시하게 만들어주는 문구이기 때문이다. 최고의 의료 시스템을 가지고 있다면, 고치거나 바꿀 필요가 없다. 하지만 대한민국 의료 시스템은 분명히 많은 문제가 있고, 이 문제를 해결하지 않으면 대한민국 의료의 미래는 불투명해 진다.

이 책은 대한민국 의료가 직면한 문제점을 사실적으로 알 수 있게 해준다. 그리고 이 책은 현재 대한민국의 의료 제도와 그 핵심인 건강보험이라는 의료보험 제도의 문제점을 지적함과 동시에, 해외 여러 선진국의 의료보험 제도를 분석하고 평가하면서 대한민국의 의료보험 제도의 문제점에 대한 해결책과 대안을 제시하고 있다.

지금까지 대한민국에서 이런 내용의 책이 나온 것은 본 적이 없었던 것 같다. 대한민국 의료보험 제도의 문제점을 아플 정도로 냉정하게 평가하고 있는 책이므로 많은 사람들이 이 책을 읽고 문제의식을 가졌으면 한다. 책의 내용도 의료인뿐만 아니라 일반인들도 쉽게 이해할 수 있게 기술되어 있다는 점 또한 이 책의 장점으로 생각된다.

나와 함께 바른의료연구소를 포함한 여러 의료계 단체에서 활동해오면서, 의료정책과 관련해서 많은 지식과 경험을 쌓은 정재현 선생의 책 출간을 축하하며, 아무쪼록 의료인뿐만 아니라 대한민국의 의료제도에 직간접적으로 관여하고 있는 많은 분들과 의료제도에 관심이 있는 많은 국민들이 이 책을 읽어 보시기를 추천드리는 바이다.

바른의료연구소장 정 인 석

저자약력

정 재 현

내과 전문의

현 대한병원의사협의회 부회장

현 바른의료연구소 기획조정실장

현 해운대부민병원 진료부장

목차

서문

우리는 바른 의료를 누리고 있는가?

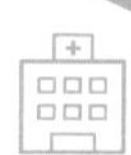

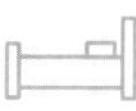

우리는 바른 의료를 누리고 있는가?

대한민국 국민들이 외국에 오랫동안 체류하거나 이민을 가게 되었을 때, 가장 불편해 하면서 고국을 그리워하게 되는 것 중에 한 가지가 바로 의료 서비스라고 한다. 실제로 대한민국은 세계적으로도 인정 받는 높은 수준의 의료 서비스를 제공하면서도 저렴한 가격으로 의료기관 이용이 가능하고, 의료기관의 접근성도 세계 최고 수준이며, 심지어 대기 시간도 가장 짧은 것으로 알려져 있다. 여기까지 이야기하면, 이보다 완벽할 수 없는 대한민국의 의료 시스템에 대한 자부심이 느껴지면서도, 한편으로는 대한민국보다 더 잘 사는 수많은 선진국들은 왜 이런 완벽한 의료 시스템을 구축하지 못하고 있을까에 대한 의구심이 들게 된다.

선진국들이 완벽해 보이는 대한민국의 의료 시스템을 따라 하지 못하는 이유, 아니 더 정확히 말하면 따라 하지 않는 이유는 의외로 단순 명료하다. 선진국들이 보았을 때, 대한민국 의료 시스템은 국가 권력에 의한 국민들의 자유 제한이 필요하다는 점, 특정 집단의 과중한 노동이 시스템 유지에 필수적이라는 점, 그리고 장기적으로 지속 불가능한 시스템이라는 점 때문에 따라할 필요성을 느끼지 못하는 것이다. 따라서 외국 선진국들이 바라보았을 때,

대한민국의 의료 시스템은 기형적인 형태로서 좋은 성과를 내고는 있지만, 언제 무너질지 모르는 불안정한 시스템인 것이다.

그렇다면, 대한민국은 어떻게 외국에서는 쉽게 따라 하지 못하는 이런 의료 시스템을 가지게 되었을까 하는 의문이 들 수밖에 없고, 외국에서 불안하게 보는 대한민국 의료 시스템의 문제점들은 어떤 방식으로든 해결하는 것이 좋을 것이라는 생각까지 이어질 수 있다. 대한민국의 의료 시스템이 왜 이런 형태를 유지하게 되었는지를 이해하기 위해서는 대한민국 의료보험 제도의 역사와 진행 과정을 알아야 하고, 대한민국만의 독특한 의료보험 제도의 특징과 이로 인해 파생되고 있는 문제점들까지 파악해야 한다.

의료 시스템을 지속 가능하게 유지하기 위해서는 국민들의 도덕적 해이를 유발하지 않는 선에서 언제든 의료를 이용할 수 있게 하면서도 적정한 수준 이상의 의료의 질을 유지해야 하며, 의료 이용에 대한 적정한 비용 지불이 이루어져야 한다. 이렇게 상식적으로 누가 봐도 납득 가능한 의료 시스템이야말로 공정하면서도 바른 의료 시스템이라고 할 수 있다. 이러한 관점을 가지고 대한민국에서 살고 있는 우리는 과연 바른 의료를 누리고 있는지를 냉정하게 돌아볼 필요가 있다. 만약 "우리는 바른 의료를 누리고 있는가?"에 대한 질문에 그렇지 않다고 생각한다면, 대한민국 의료 시스템 그 자체라고 할 수 있는 의료보험 제도에는 어떤 문제점이 있고, 문제 해결 방안이나 대안은 어떤 것들이 있을지 알아보아야 하기에 이제 논의를 시작하고자 한다.

1

의료보험이란?

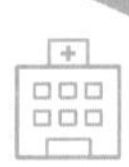

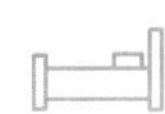

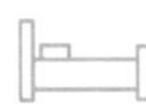

1. 의료보험이란?

보험의 사전적 의미를 찾아보면 다음과 같이 기술되어 있다.

'동질(同質)의 경제상의 위험에 놓여 있는 다수인이 하나의 단체를 구성하여, 미리 통계적 기초에 의해 산출한 일정한 금액(보험료)을 내어 일정한 공동자금(기금)을 만들고 현실적으로 우연한 사고(보험사고)를 입은 사람에게 이 공동자금에서 일정한 금액(보험금)을 지급하여 경제생활의 불안에 대비하는 제도'

따라서 의료보험은 질병이나 상해 등 건강상의 문제로 인해 발생할 수 있는 경제적 위험에 대비하기 위해 만들어진 보험 제도라고 할 수 있다. 인간은 누구나 질병과 상해로 인해 경제적 위험에 처할 수 있기 때문에, 대한민국을 비롯한 대부분의 국가들에서는 국민들에게 의료보험에 가입하도록 하고 이를 이용해서 질병 및 상해로 인한 경제적 위험에서 벗어날 수 있도록 유도하고 있다.

의료보험은 여러 가지 기준에 따라 분류할 수 있는데, 운영 주체에 따라서는 정부나 공공기관이 운영하는 공보험과 민간 보험사가 운영하는 사보험으로 나눌 수 있고, 운영 주체의 수에 따라 단일 보험자 체계와 다 보험자 체계로도 나눌 수 있다. 그렇다면 현재 대한민국 의료보험 제도는 어떻게 분류할 수 있을까?

대한민국의 헌법은 '사회보장'에 관해서 '출산, 양육, 실업, 노령, 장애, 질병, 빈곤 및 사망 등의 사회적 위험으로부터 모든 국민을 보호하고 국민 삶의 질을 향상시키는 데 필요한 소득·서비스를 보장하는 사회보험, 공공부조, 사회서비스'로 규정하고 있다. 그리고 사회보험의 항목에 건강보험이 포함되어 있다. 따라서 현재 대한민국은 건강보험이라는 단일 공보험 체계를 갖추어 전체 국민들의 건강보험 강제가입과 전체 요양기관들의 건강보험 강제지정을 법으로 규정해 놓고 있다. 그리고 민간 보험사가 운영하는 사보험은 실손보험 등의 형태로 건강보험의 보조적 역할만을 수행하고 있다.

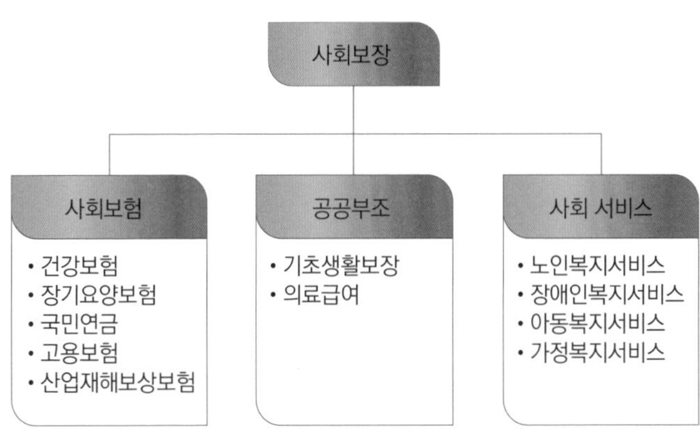

2

한국 의료보험의 역사

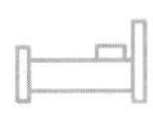
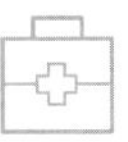

2. 한국 의료보험의 역사

대한민국 정부 수립 이후 70년대 중반까지는 제대로 된 의료보험 제도가 존재하지 않았다. 물론 1963년 12월 의료보험법이 제정되면서 이후부터 국민들이 의료보험에 가입하여 혜택을 받을 수 있는 기틀이 마련되기는 하였지만, 70년대까지 우리 국민들의 소득 수준은 의료보험 가입에 관심을 가질 만큼 높지 않았다. 강제가 아닌 본인의 선택에 따른 임의 가입이 원칙이었기 때문에, 소득 수준이 낮은 대다수 국민들의 의료보험 가입은 저조할 수밖에 없었다. 이에 1976년 12월 의료 보험법 개정을 통해 강제 가입 조항이 추가되었고, 이로 인해 1977년 7월부터 500인 이상 근로자가 있는 사업장에 대해 직장인 의료보험제도가 시작되면서 비로소 지금의 건강보험의 형태와 같은 의료보험 제도가 시작되었다.

이후 공무원과 교원에 대한 의료보험도 출범하였고, 직장인 의료보험 당연 가입의 기준도 500인 이상 근로자가 있는 사업장에서 점점 범위가 늘어나 전국민 의료보험 제도가 실시되기 직전인 1988년에는 5인 이상 근로자가 있는 사업장까지 확대되었다. 이러한 과정을 거쳐서 1989년 7월 1일 다른 보호 대상자를 뺀 전국민을 대상으로 의료보험 제도가 실시되었다. 이 시기까지는 공무원과 교원은 별도의 법으로 규정하고 있었다. 1998년에는 227개 지역 의료보험 조합과 공무원 및 교원 의료보험 관리 공단을 통합해 국민 의료보험 관리 공단을 설립하고 직장 의료보험 조합들은 140개로 통합했으며, 2000년에 비로소 국민 의료보험과 직장 의료보험을 통합하여 국민건강보험을 출범시켜 현재에 이르고 있다.

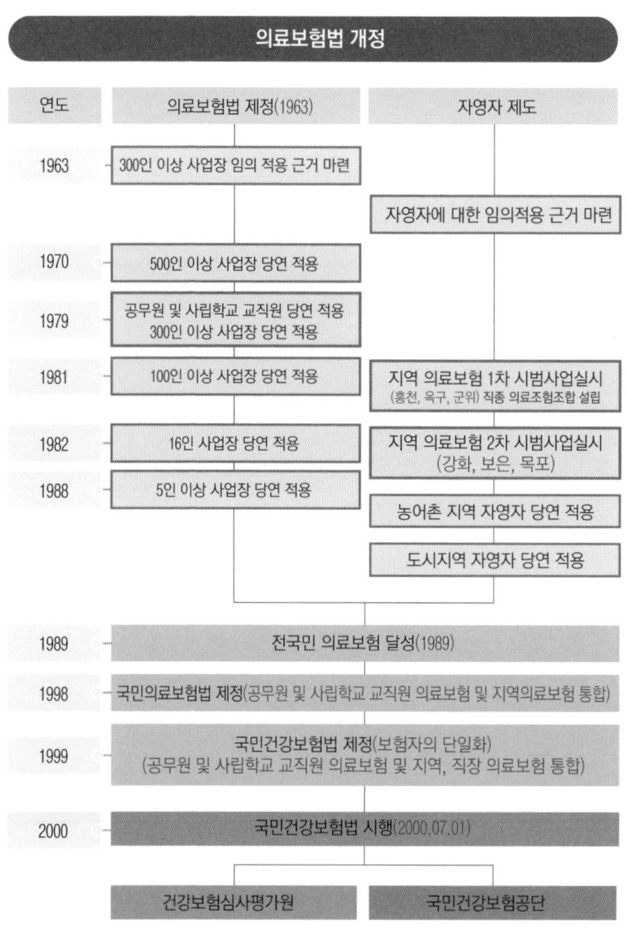

정부 주도의 공보험 제도가 만들어지는 데 어려움을 겪고 있던 60-70년대에 오히려 민간에서는 조금씩 의료보험 가입에 대한 움직임이 일어나고 있었는데, 가장 대표적인 사례가 바로 부산을 중심으로 만들어졌던 '청십자 의료보험조합'이었다. 청십자 의료보험조합은 미국 텍사스주에서 일어난 청십자 운동에 영향을 받아서 세워진 것으로, 1968년 부산에서 성산 장기려 박사와 부산 지역 교회가 중심이 되어 설립되었다. 1989년 전국민 의료보험제도가 실시되기 전까지 약 23만 명의 회원을 보유할 정도로 규모가 컸던 청십자 의료보험조합은 대한민국 의료보험 제도가 만들어지는 데 많은 영향을 주었으나, 반대로 대한민국 의료보험 제도가 왜곡되는 데에 있어 근본적인 원인 또한 제공하였다.

당시 청십자 의료보험조합의 설립 목적은 가난한 환자를 구제하고, 조합원 서로가 돕는 정신을 가지며, 질병과 경제적 부담을 극복하고 사랑으로 가득 찬 사회를 만드는 데에 있었다. 따라서 조합원들에게 받는 조합비는 매우 저렴하였고, 조합비 만으로는 조합을 제대로 운영하기 어려워 교회와 사회단체의 기부금까지 보태어 겨우 유지되고 있었다. 조합의 재정 상황이 이렇다 보니 의료수가는 매우 낮을 수밖에 없었고, 의사의 진찰이나 술기에 대한 대가는 수가로 반영하지 않은 채 재료대의 원가 정도로만 수가를 책정하여 운영하였다. 그리고 당시 청십자 의료보험조합 가입자를 진료했던 의사들은 장기려 박사의 영향을 받아 거의 봉사 수준으로 진료에 임했기에 낮은 수가로도 조합이 운영될 수 있었다.

그런데 문제는 의료보험이 도입되면서 수가를 정할 때, 당시 정부가 관행 수가에 한참 못 미치는 바로 이 청십자 의료보험조합의 수가를 기준으로 수가를 정해버린 것이었다. 대한민국 의료 왜곡의 핵심 원인인 저수가 체제가 만들어지는 순간이었다. 대한민국 의료보험 체계가 서슬 퍼런 군사 정권 시대를 거치며 완성되었기에 강압적으로 저수가와 강제지정체제를 만들 수 있었고, 의료계는 이렇다 할 저항도 할 수 없었다. 당시 의료계는 이러한 강압에 저항하기 보다는 오히려 진료량을 늘리는 등 다른 방향으로 살길을 모색해나갔고, 이것이 이후 3분 진료로 대변되는 박리다매식 진료, CT 및 MRI 촬영 남발 등으로 대표되는 지금의 진료 행태 관련 문제점들을 파생시켰다.

1970년대에 의료보험 제도를 만들기 위해 정부가 논의를 시작할 당시에는 지금과 같은 강압적인 시스템을 만들려고 했던 것은 아니었다. 이는 1970년대 초 국민 의료보험 도입을 위해 만들어졌던 '보건의료발전 연구회'(전직 보건사회부 장관·도지사·의사출신 여당 국회의원 등으로 구성)의 기본 건의 사항의 내용만 보아도 알 수 있다. 당시 보건의료발전 연구회는 아래의 4가지 건의 사항을 제시하였다.

첫째, 원칙적으로 시장경제를 기본으로 한다.

둘째, 우리나라의 경제 상황 개선에 따라 각 계층별로 점진적으로 적용 인구를 확대해 나간다.

셋째, 취약한 병원시설(특히 지방의 시립 및 도립병원)에 투자를 증대하여 의료보험 제도를 감당할 수 있을 수준으로 현대화해 나간다.

넷째, 의료보험 수가 결정은 정부가 행정편의주의에 치우쳐 일방적으로 결정하지 말고 각계각층과 협의해서 조정해 나간다.

1970년대에 제시되었던 보건의료발전 연구회의 4가지 건의사항은 대한민국 의료보험 제도를 만드는 과정에서 대부분 받아들여지지 않았다. 대한민국 의료보험 제도는 시장경제 체제가 아니라 사회주의 체제를 기본으로 하고 있고, 경제 상황의 고려 없이 급격하게 도입되고 대상자가 확대되었으며, 공공의료기관들은 여전히 낙후되어 있지만 정부는 이에 대한 투자에 소홀해 왔다. 그리고 가장 결정적으로 의료보험 수가는 온전히 정부가 일방적으로 결정하고 있으며, 애초에 초저수가로 설정된 의료 수가에 경제가 발전하면서 발생한 물가 상승률만큼도 수가 상승에 반영하지 않아 저수가는 더욱 심화되어 왔다. 결국 대한민국 의료보험 제도와 의료 시스템이 왜곡되고, 여러 문제점들이 발생하고 있는 이유는 최초 의료보험을 설계할 당시에 전문가들이 제시했던 기본 원칙들을 지키지 않았기 때문이라고 생각할 수 있다.

3

대한민국 의료보험 제도, 무엇이 문제인가?

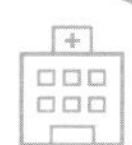

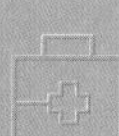

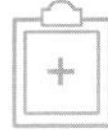

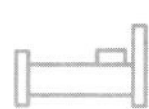
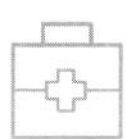

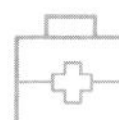

3. 대한민국 의료보험 제도, 무엇이 문제인가?

1) 3저(底) 구조 - 저(底)부담, 저(底)보장, 저(底)수가

(1) 지속 가능하지 않은 저(底)부담 정책

대한민국의 의료보험 제도는 국민 소득 수준이 미치지 못함에도 정부의 주도하에서 급하게 도입되었고, 보험 대상자도 소득 수준에 비해 빠르게 확대되었다. 국민들의 소득 수준이 미치지 못함에도 의료보험 제도를 도입하였으므로, 정부 입장에서는 국민들이 의료보험 강제 가입을 저항하지 않고 받아들이게 하려면 의료보험 제도를 이미 시행하고 있던 외국에 비해서 보험료를 낮게 책정할 수밖에 없었다. 국민들의 보험료 부담을 낮추어서 보다 많은 국민들이 의료보험 혜택을 받을 수 있게 한다는 정부의 취지 자체는 나쁘지 않았으나, 저(底)부담 정책은 필연적으로 저(底)보장과 저(底)수가를 불러올 수밖에 없다는 측면에서 이후 문제 발생은 필연적인 것이었다.

저(底)부담에 익숙해진 국민들은 몇 천원의 의료보험료 인상에도 민감하게 반응하고 있다. 그리고 현재 상당수 국민들이 의료보험료를 더 낼 수 있는 경제적 능력을 갖추고 있지만 의료보험료 인상에는 부정적인 태도를 보인다. 의료보험료는 저렴해야 한다는 기존의 고정관념이 깊이 박혀 있는 상황에서 적정 수준으로의 보험료 인상은 당연히 국민들의 저항을 받을 수밖에 없다. 낮은 보험료 덕분에 현재도 우리 국민들은 의료를 저렴한 가격으로 이용하고 있고, 이는 통계 자료를 통해서도 확인할 수 있다. 2021년 보건복지부에서 정리해서 발표한 OECD 통계(주로 2019년 통계를 분석해서 발표)를 보면 보건의료부문 서비스 및 재화에 소비된 국민 전체의 1년간 지출 총액을 의미하는 대한민국의 경상의료비는 2019년 국내총생산(GDP) 대비 8.2%로 OECD 평균(8.8%)에 비교해서 다소 낮았다.

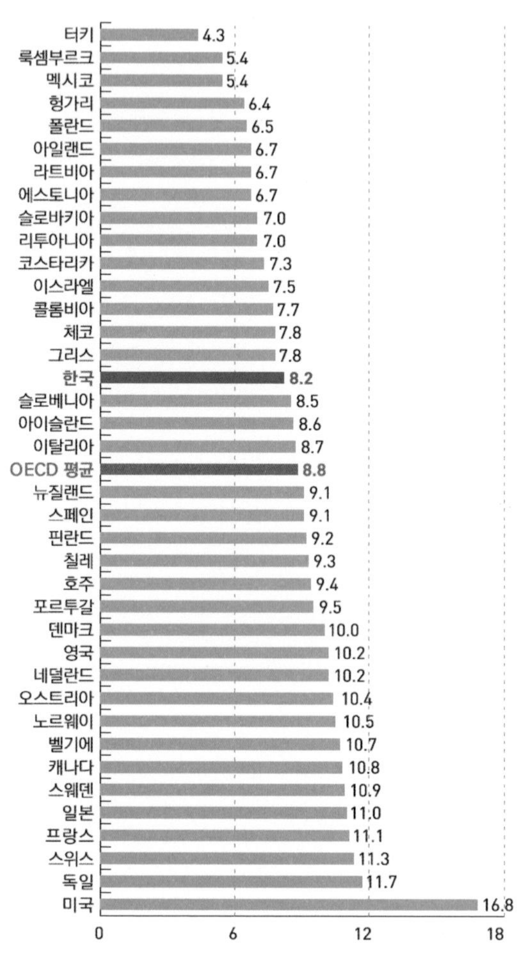

국내총생산(GDP) 대비 경상의료비, 2019년

* OECD 평균은 2019년(혹은 인접 과거년도) 통계가 있는 38개국의 평균

경상의료비는 의료보험료 지출 이외에도 의료 관련 지출 전체를 포함하는 개념으로, 우리나라 국민들은 의료보험료 이외 추가 지출까지 포함해도 아직까지는 OECD 평균보다 의료 관련 지출이 적다고 볼 수 있다. 지출은 적지만 전 세계 최고 수준의 의료 접근성을 통해서 월등히 많은 의료 이용량을 누리고 있고(2019년 국민 1인당 의사 외래 진료 횟수 연간 17.2회로 OECD 국가 중 전체 1위, OECD 평균은 6.8회), 각종 건강 관련 지표들에서도 OECD 최상위 순위를 기록하고 있는 것을 보았을 때, 대한민국 국민들은 '저비용 고효율'의 의료를 누리고 있다고 볼 수 있다. 하지만 정부에 의해 강제로 유지되고 있는 지금의 '저비용 고효율' 의료 체계는 지속 가능하지 않다는 사실을 알아야 한다.

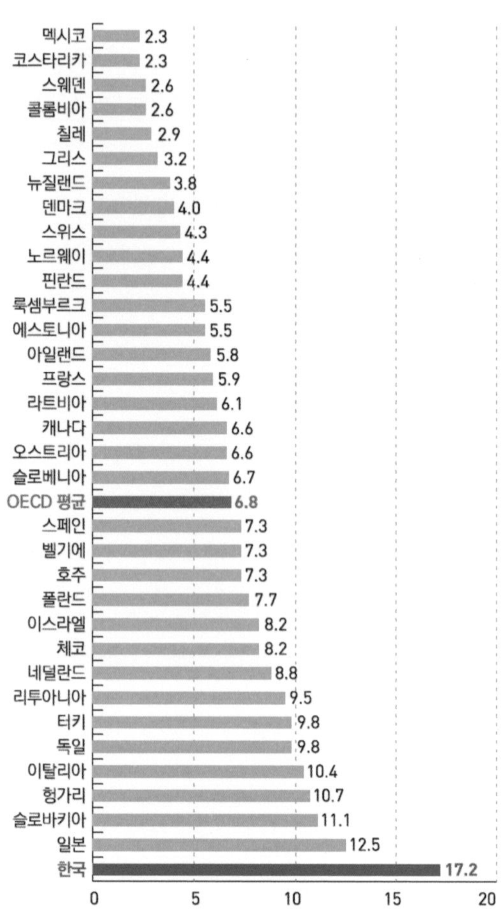

(단위: 회)

국민 1인당 의사 외래 진료 횟수, 2019년

* 1) OECD 평균은 2019년(혹은 인접 과거년도) 통계가 있는 34개국 의 평균

2) 뉴질랜드, 스페인 스위스는 2017년, 프랑스, 일본은 2018년 수치

의료비 지출이 OECD 평균보다는 낮다고 하지만 국민들이 체감하는 의료 관련 비용 지출은 현재도 적지 않으며 실제로 빠르게 증가하고 있는 것이 사실이다. 국민건강보험 관련해서만 저(底)부담을 하고 있을 뿐 실제 국민들의 의료비 및 사보험 부담은 적지 않다. 또한 현재의 건강보험료는 준조세의 성격을 띄기 때문에 의무적으로 납부해야 하고, 재산 및 소득 수준에 따라서 보험료를 누진 적용하기 때문에 고소득층의 보험료 부담은 이미 상당히 높은 수준이다. 현 시점에서의 대한민국의 GDP 대비 경상의료비는 OECD 평균보다 약간 낮지만 2014년 6.5%에서 2019년 8.2%로 빠르게 증가하고 있다. 같은 기간 OECD 평균이 8.7%에서 8.8%로 0.1%만 증가한 것만 보더라도 엄청나게 빠른 증가 속도이다. 따라서 현재의 경상의료비 증가율이 유지되면 조만간 대한민국의 경상의료비는 OECD 평균을 넘어서게 될 것이다. '저비용 고효율' 구조에서 바로 저비용이 사라지게 되는 것이다.

(2) 건강보험의 질을 떨어뜨리는 저(底)보장 정책

OECD 보건의료통계를 보면, 보험제도의 보장률을 간접적으로 나타내는 지표인 경상의료비 중 정부 및 의무가입제도 비중에서, 대한민국은 2019년 기준 61.0%로 OECD 평균인 74.1%보다 낮았다. 대한민국보다 이 비중이 낮은 국가는 멕시코, 그리스, 칠레, 포르투갈뿐으로, 대한민국의 보장률이 전 세계적으로도 현저히 낮다는 것을 알 수 있다. 경상의료비 전체 규모는 이미 OECD 평균에 접근하고 있는데 보장률이 낮다는 말은, 단일 공보험 제도를 유지하고 있음에도 의료 재원에 대한 정부의 공적 지출이 미비하다는 뜻과 함께 건강보험 제도만으로는 충분히 국민들의 의료 요구를 충족시켜주지 못하고 있다는 뜻이 된다.

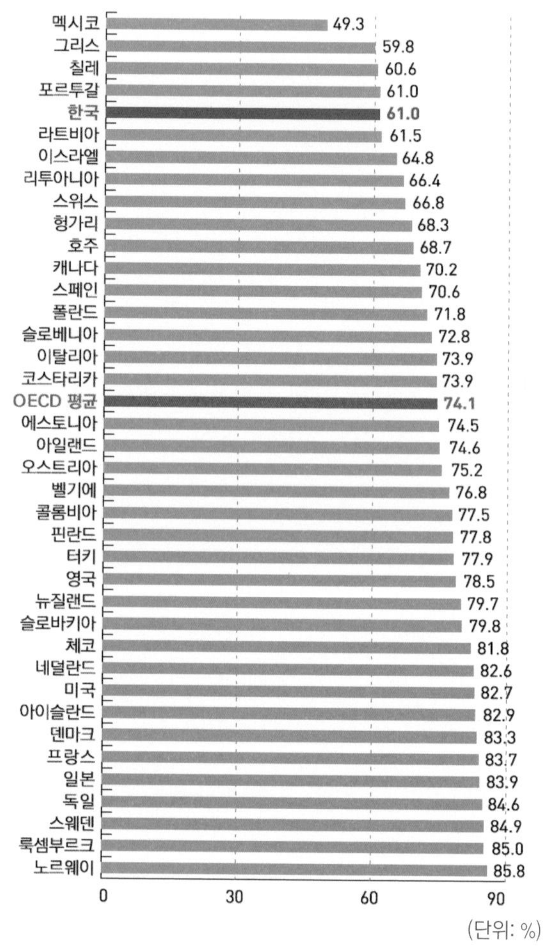

경상의료비 중 정부·의무가입제도 비중, 2019년

* 1) OECD 평균은 2019년(혹은 인접 과거년도) 통계가 있는 38개국의 평균

이로 인해 경상의료비 중에서 가계직접부담이 차지하는 비중은 OECD 평균이 19.8%인데 반해 대한민국은 30.2%로 매우 높은 편에 속한다. 2014년 33.9%에 비하면 낮아지기는 했지만 여전히 가계직접부담 비율이 높기 때문에, 국민들은 의료비로 인한 가계부담 위험을 낮추기 위해 실손보험 등 사보험에 적극적으로 가입하고 있다. 2020년 신용정보원 가입자 통계에 따르면 대한민국 국민들 중 실손보험 가입자는 3900만 명에 달하고 있다. 이는 전체 인구의 75%가 넘는 국민들이 실손보험에 가입되어 있다고 볼 수 있다. 2016년 68%를 기록했던 실손보험 가입률이 4년 동안 꾸준히 더 상승했다는 점을 고려했을 때, 가입자 연령을 50대 이하로 낮추면 가입률이 80%를 상회할 것으로 보인다.

경상의료비 중 가계직접부담 비중, 2019년

* 1) OECD 평균은 2019년(혹은 인접 과거년도) 통계가 있는 38개국의 평균

2) 호주, 일본, 뉴질랜드는 2018년 수치

<실손의료보험 연령별·성별 가입률>

구분	가입률		
	전체	남자	여자
10대미만	81.4%	81.4%	81.5%
10대	78.1%	78.9%	77.1%
20대	76.7%	74.7%	79.1%
30대	80.7%	78.0%	83.5%
40대	78.5%	75.9%	81.2%
50대	70.8%	67.8%	73.7%
60대	46.8%	46.7%	47.0%
70대 이상	9.7%	11.7%	8.5%
전체	**68.0%**	**68.1%**	**68.0%**

2016년 실손의료보험 가입자 통계 - 한국신용정보원 자료

그런데 문제는 건강보험 보장률은 답보 상태에 있는 상황에서도 국민들의 진료비와 건강보험의 급여 지출은 계속 증가하고 있다는 것이다. OECD 발표와는 약간의 차이를 보이지만 보건복지부의 발표에 따르면 2015년에 63.4%를 기록했던 건강보험 보장률은 문재인 케어가 시작된 지 1년 이상 지난 2019년에도 64.2%에 불과했다. 그런데 같은 기간 동안 건강보험 재정 지출은 48.2조원에서 70.9조원으로 급격하게 늘었고, 흑자를 유지하던 재정도 2018년부터 적자로 전환되었다. 그리고 같은 기간 건강보험 지출액 증가만큼은 아니지만 국민들의 건강보험료 부담액도 계속 증가하여 2015년 직장가입자 100,510원, 지역가입자 80,876원이었던 세대당 건강보험료 부담액은 2019년 직장가입자 120,152원, 지역 가입자 86,160원으로 늘어났다.

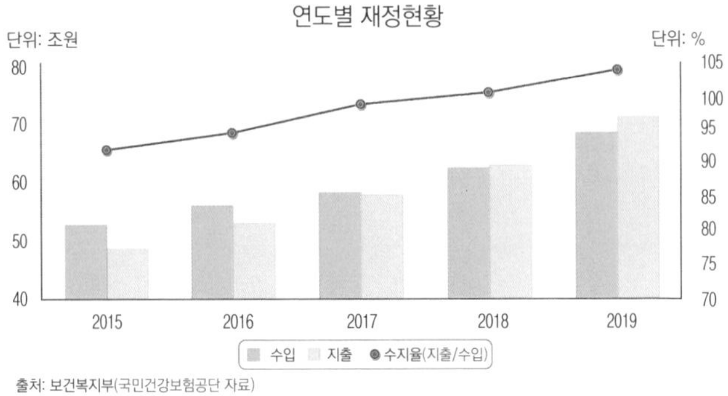

결국 매년 국민들의 건강보험료 부담은 늘어나고, 건강보험 재정은 적자 전환되면서 재정 위기까지 거론되고 있지만, 정작 문재인 케어 등 보장성 강화 정책을 펼쳐서 달성하고자 했던 건강보험 보장률의 상승이라는 목표는 달성하지 못하고 있는 것이다. 대한민국은 건강보험이라는 단일 공보험 체제를 유지하고 있지만, 건강보험의 낮은 보장률로 인해 국민들은 의료비로 인한 가계재정 파탄이라는 공포에서 벗어나지 못하고 있다. 이로 인해 국민들은 강제로 징수당하는 건강보험료뿐만이 아니라 실손보험 등의 사보

험에도 가입하여 이중지출을 감수하면서까지 위험 부담을 낮추려고 하고 있는 것이다.

(3) 저(底)보장 문제가 해결되지 않는 이유

그렇다면 건강보험 재정 지출이 급격히 증가함에도 불구하고, 보장률이 오르지 않는 이유는 무엇일까? 이 이유를 알아야 현재 단일 공보험 체계인 건강보험의 재정비와 완전히 새로운 보험체계의 추진 중에서 선택하여, 국민들의 부담은 줄여주면서도 가장 효율적이고 이상적인 보험제도를 만들 수 있을 것이다. 건강보험 재정 지출이 증가함에도 불구하고 보장률이 오르지 않는 첫 번째 이유는 급격한 고령화 진행 때문이다. 현재 대한민국의 고령화는 전 세계 다른 국가들과 비교해도 매우 빠른 속도로 진행되고 있다. 통계청의 발표에 따르면, 2020년 65세 이상 고령인구는 우리나라 인구의 15.7%로, 향후에도 계속 증가하여 2025년에는 20.3%에 이르러 대한민국이 초고령사회로 진입할 것으로 전망되고 있다.

그런데 고령자의 경우는 비고령자에 비해 건강 상태가 좋지 못하기 때문에, 고령자가 늘어나면 의료 이용 및 의료비 지출이 늘어난다. 이는 통계적으로도 드러나는데, 2018년 65세 이상 고령자의 건강보험 상 1인당 진료비는 448만 7천 원, 본인부담 의료비는 104만 6천 원으로 각각 전년보다 32만 5천 원, 3만 1천 원 증가한 것으로 나타났다. 결국 지금의 고령화 속도가 유지된다면, 건강보험 재정 지출이 늘어나도 보장률을 올리기에는 역부족이 되는 것이다. 따라서 고령사회 또는 초고령사회에 대처가 가능하면서도, 보다 유연성 있는 보험 제도를 만들어내지 못하면 지금처럼 밑 빠진 독에 물 붓기는 지속될 수밖에 없다.

건강보험 재정 지출이 증가함에도 불구하고 보장률이 오르지 않는 두 번째 이유는 의학의 급속한 발전 때문이다. 아직 인류는 정복하지 못한 질환들이 많아 이를 극복하기 위한 연구가 전 세계적으로 활발히 이루어지고 있고, 특정 질환에 대한 치료법이 있는 경우에도 보다 더 효과적이면서도 경제적인 치료법들에 대한 연구가 지속적으로 이루어지고 있다. 이러한 연구를 바탕으로 지금 현재도 새로운 의학기술이나 약제들은 쏟아지고 있지만, 이러한 의학 발전의 속도를 그대로 건강보험이 따라가면서 반영하는 것은 현실적으로 불가능하다. 하지만 최신 의학 기술이나 약제 중에는 반드시 환자들에게 적용되어야 하는 것들이 분명히 존재하기 때문에, 건강보험에 적용되지 않아도 환자들이 이용할 수 있는 비급여 의료 행위 항목은 반드시 필요하다.

모든 비급여 의료를 금지시킬 수도 없고, 모든 비급여 의료를 건강보험에 포함시켜 급여화 시킬 수도 없다. 그리고 하루가 다르게 발전하는 의학 기술과 새로운 정보를 받아들이지 않을 수도 없다. 그리고 국민들은 점점 건강과 의료에 더 많은 관심을 보이고 있고, 새로운 치료법이나 약제들의 신속한 도입을 원하고 있다. 따라서 마치 모든 비급여를 급여화하여 비급여를 없애버릴 것처럼 홍보하던 문재인 케어는 근본적으로 실패할 수밖에 없었던 것이다. 그리고 그 실패를 지금 전 국민이 알게 되었고, 국민들은 정책 실패로 인해 발생한 고통 역시 분담하고 있다. 결국 이러한 문제를 해결하기 위해서는 변화에 적절히 대처할 수 있으면서도, 언제든 협의와 조정이 가능한 유연한 보험 체계가 필수적이다.

건강보험 재정 지출이 증가함에도 불구하고 보장률이 오르지 않는 세 번째 이유는 국민 개개인의 다양한 의료 이용 요구를 획일적인 건강보험이 충족시켜줄 수 없기 때문이다. 사람은 각자 살아온 환경이나 가치관에 따라서 건강과 의료를 바라보는 시각도 다르고, 원하는 바도 다르다. 자신의 건강을 위해 다양하면서도 정밀한 검사를 받고 가격과는 상관없이 가장 최고의 치료를 받기를 원하는 사람도 있고, 비용과 효과를 따져가면서 가장 적정한 수준으로 의료를 이용하기 원하는 사람도 있다. 반면, 생명과 직결되지 않는다면 굳이 의료를 이용하지 않으려고 하는 사람들도 있다. 이렇듯 건강과 의료에 대한 국민 개개인의 요구 조건은 다양하기 때문에, 어떤 사람에게는 건강보험의 보장 내용이 너무 부족하게 보일 것이고, 또 다른 사람에게 건강보험은 보험료만 많이 뺏어가는 불필요한 존재로 여겨질 것이다.

하지만 문제는 건강보험은 모든 국민을 대상으로 하기 때문에 기준이 획일적일 수밖에 없고, 획일적인 보험 내용에 대해 대부분의 국민들은 정도의 차이만 있을 뿐 불만을 가질 수밖에 없다는 점이다. 그러나 현재 대한민국 국민들은 건강보험 가입이나 보장 내용의 선택과 관련하여 어떠한 선택권도 없는 상황이다. 정부가 선택권을 인정해주지 않으니 국민들은 건강보험이 충족시켜주지 못하는 자신의 의료 이용 욕구를 사보험을 통해서 충족시킬 수밖에 없는 것이다. 이렇듯 획일적인 단일 공보험 체계에서 국민들의 보험료 이중지출은 필연적이다. 국민들의 보험료 관련 이중지출을 없애고 부담을 줄이기 위해서는 국민들이 보장 내용을 선택할 수 있는 형태의 보험 체계가 필요하다.

건강보험 재정 지출이 증가함에도 불구하고 보장률이 오르지 않는 네 번째 이유는 건강보험의 방만한 운영과 잘못된 의료정책으로 인해 효율적이고 집중적인 재원 투자가 이루어지지 못하고 있기 때문이다. 대한민국 의료보험은 국가가 주도하여 만들어졌고 변화해 왔기 때문에, 보험자인 의료보험 공단간의 진정한 경쟁은 없었다. 다만 2000년 이전에는 직장 의료보험과 지역 의료보험이 분리되어 있어 보험자들의 경영 실적이나 업무 성과 등이 비교가 되었기 때문에, 운영을 방만하게 하게 되면 실적과 성과로 드러날 수밖에 없어 조심할 수밖에 없었다. 그러나 2000년 이후 모든 의료보험 공단이 건강보험공단 하나로 통합되면서 약하게라도 남아 있던 경쟁이나 견제 구조가 사라지게 되었고, 이로 인해 건강보험 공단의 방만한 운영은 거의 매년 질타를 받고 있다.

2019년 건강보험 재정이 2조 8000억의 적자를 기록했을 때도 임원들에게 3억 6000만원의 성과급을 지급한 사실만 보아도 건강보험의 방만 운영이 어느 정도 수준인지 짐작할 수 있다. 건강보험 재정이 건실하게 유지되어야 건강보험 보장 내역을 확대할 여지가 있을 것인데, 재정이 적자인 상황임에도 방만한 운영 행태를 고치지 못하는 건강보험공단으로 인해 국민들의 건강보험 보장 확대는 기대난망일 수밖에 없다.

정부가 주도하여 강제가입과 강제지정을 법제화시켜 운영하는 공보험 제도는 필연적으로 정부의 정치적 목적에 따라 언제든 이용될 수 있다. 특히나 대한민국처럼 공보험 제도가 단 하나의 보험자만을 두고 있는 단일 공보험 제도라면, 정부가 의료보험을 언제든 정치적으로 이용하기 쉬운 구조라고 볼 수 있다. 따라서 지금까지 대한민국의 건강보험은 정부의 포퓰리즘 정책의 도구로 악용되어 온 흑역사를 가지고 있고, 그 흑역사의 가장 대표적인 사례가 바로 '문재인 케어'이다. 비급여의 급여화를 통해서 보장률을 상승시키겠다는 정책 목표는 달성하지 못한 채, 불필요한 재정 낭비를 통해서 건강보험 재정만 적자로 전환시킨 이 포퓰리즘 정책으로 인해 현재 대한민국 건강보험은 위기에 빠져있다. 이러한 사례만 보더라도 의료보험은 정부가 정치적 목적을 가지고 이용할 수 없도록 독립성이 보장되어야 하고, 한 국가의 보건의료 정책은 전문가들에 의해서 매우 신중하고 중립적으로 결정되어야 함을 알 수 있다.

(4) 의료 행위에 대한 가치인 수가, 대한민국은 얼마나 저(底)수가 인가?

대한민국의 의료 수가가 전 세계적으로도 매우 낮은 수준이며, 원가도 보전하지 못하는 수준이라는 사실은 이미 일반 국민들에게도 상식으로 통하고 있다. 그런데 일부 관변학자들과 단체들에서는 대한민국 의료 수가가 낮지 않다고 주장한다. 대한민국 의료 수가가 낮지 않다고 주장하는 측에서는 높은 의사들의 수입과 병원급 의료기관들의 성장, 적지 않은 국민들의 의료비 부담 등을 이유로 들면서 수가가 낮다면 이러한 일이 일어날 수 없다고 말한다. 하지만 적정한 수가는 적정한 업무량과 적정한 의료 이용량을 전제로 각종 장비 구입 및 운영비, 약제비, 시설 건축 및 운영비, 직원 임금, 세금 비용, 투자비용, 이자비용, 감가상각비, 각종 부대시설 수익 등 여러 가지 지출 및 수입 측면을 고려하여 안정적인 의료기관 운영이 가능한 수준으로 책정되는 의료 행위에 대한 가치로 생각해야 한다. 따라서 의료인들의 업무량과 국민들의 의료 이용량이 세계 최고 수준인 대한민국에서 적정 수가를 산출하기 위해서는 이에 대한 보정이 반드시 필요하다. 물론 이런 부분을 보정하지 않더라도 낮은 수가라는 자료들이 많지만, 이를 보정하면 대한민국에서는 어이없는 수준으로 낮은 수가가 산출된다.

2016년 건강보험공단에서 운영하는 일산병원의 자료를 토대로 현재 대한민국 의료 수가 수준을 파악하고, 적정 수가 산정을 위해 '건강보험 일산병원 원가계산시스템 적정성 검토 및 활용도 제고를 위한 방안'(연세대학교 산학협력단)이라는 연구 결과가 발표되었다. 해당 연구에서는 건강보험 일산병원 자료를 토대로 각 진료영역별 원가보전율과 의료기관 종별 추정 원가보전율을 도출해 내었다. 연구 결과를 보면, 진료영역별 원가보전율은 전체적으로 78.4%에 불과하였고, 진찰료, 입원료, 주사료, 마취료, 처치 및 수술료 등 의사 및 의료인들의 의료 행위와 관련된 수가는 50~80% 수준으로 매우 낮다는 사실을 알 수 있었다. 또한 종별 추정 원가보전율을 보면, 상급종합병원 84.2%, 종합병원 75.2%, 병원 66.6%, 의원 62.2%로 나타나 의원급 보다는 병원급의 원가보전율이 높고, 병원도 규모가 클수록 원가보전율이 높아지는 것으로 나타났다.

진료영역별 적용 원가 보전율

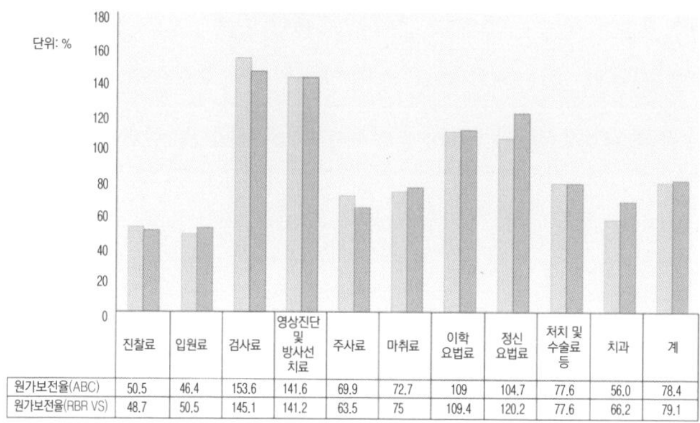

	진찰료	입원료	검사료	영상진단 및 방사선 치료	주사료	마취료	이학 요법료	정신 요법료	처치 및 수술료 등	치과	계
원가보전율(ABC)	50.5	46.4	153.6	141.6	69.9	72.7	109	104.7	77.6	56.0	78.4
원가보전율(RBR VS)	48.7	50.5	145.1	141.2	63.5	75	109.4	120.2	77.6	66.2	79.1

요양기관 종별 추정 원가보전율

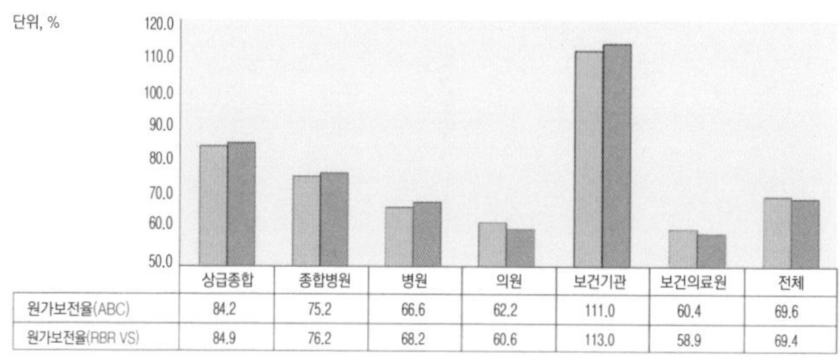

	상급종합	종합병원	병원	의원	보건기관	보건의료원	전체
원가보전율(ABC)	84.2	75.2	66.6	62.2	111.0	60.4	69.6
원가보전율(RBR VS)	84.9	76.2	68.2	60.6	113.0	58.9	69.4

적정 업무량과 적정 의료 이용량을 보정하지도 않은 연구이자 보험자인 건강보험공단 직영병원인 일산병원의 자료를 근거로 발표한 연구에서 의료행위의 원가보전율이 평균 78.4%이고, 종별 추정 원가보전율이 의원급의 경우 62.2%라는 것은 현 의료 수가가 원가에 크게 미치지 못하는 매우 낮은 수준임을 확인해 주는 상징적인 의미가 있다. 공공기관이 운영하는 의료기관들은 민간의료기관이 부담해야 하는 최초 설비 투자비 및 부채 이자, 임대료 등의 비용도 부담하지 않고 있다는 점을 고려하면, 민간 의료기관

들은 훨씬 더 열악한 환경에 처해 있다는 것을 알 수 있다. 의료정책연구소에서 일산병원과 심평원 자료를 기초로 추계하여 발표한 자료를 보면, 의료기관 종별 추정 원가보전율은 채 70%에도 미치지 못하고, 의원급은 60%에 불과한 것으로 보고 있다. 이러한 객관적인 연구 자료들을 제대로 본 사람들이라면, 더 이상 대한민국의 의료 수가가 낮지 않다는 거짓 주장은 하지 못할 것이다.

건강에 대한 비교 물가 수준, 2017, us=100

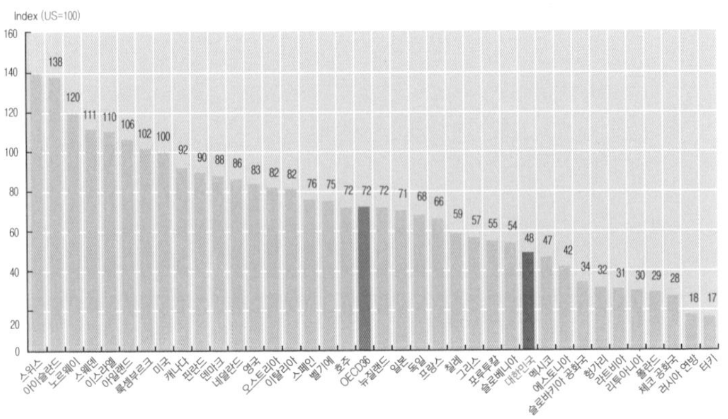

특히 OECD에서 발표한 자료를 보면, 대부분의 건강지표에서 최상위를 달리고 있는 대한민국이 수가 수준에서만큼은 후진국 수준에 머물러 있다는 것을 알 수 있다. 위 자료는 미국의 수가를 100으로 가정했을 때, 국가별 의료 수가를 상대적으로 비교하여 수치로 나타낸 것이다. 위 자료에서 OECD 국가 평균은 72였고, 대한민국은 평균에도 한참 못 미치는 48이었다. 대한민국보다 수가가 낮은 국가들은 대부분 구 소련의 영향을 받아 공산주의 의료체제를 유지하던 국가들이었다. 즉, 대한민국의 의료 수가는 공산

주의 의료체제로 인해 낙후된 의료시스템을 유지하고 있는 국가들과 다를 바 없는 수준이지만, 현재 대한민국 국민들의 건강 지표와 의료 지표는 세계 최고 수준을 유지하는 아이러니한 상황인 것이다.

(5) 저(底)수가는 어떤 문제를 만들어 내는가?

① 높은 의료 이용량 및 진료량과 각종 검사 건수의 증가

대한민국 의료 시스템에 있어 지적되는 많은 문제들의 핵심 원인은 바로 저(底)수가로 알려져 있다. 그렇다면 구체적으로 저(底)수가는 어떤 과정을 통해서 어떠한 문제를 만들어내는지를 파악해야 적정 수가의 필요성도 느낄 수 있을 것이다. 저(底)수가가 만들어내는 첫 번째 문제점은 바로 높은 의료 이용량 및 진료량과 각종 검사 건수의 증가이다. 전국민 의료보험이 정착된 이후 상대적으로 낮은 보험료 부담으로 인해 국민들의 의료기관 이용에 대한 부담이 낮아졌고, 급격한 고령화와 건강에 대한 관심 증가, 소득수준 향상 등으로 인해 대한민국의 의료 이용량은 앞서 국민 1인당 외래 진료 횟수에 대한 OECD 통계에서도 드러났듯이 세계 최고 수준을 보이고 있다. 문제는 이러한 세계 최고 수준의 의료 이용량을 감당하기 위해서는 어쩔 수 없이 따라와야 하는 엄청난 진료량을 수행할 수 있는 의료 시스템은 구축하기가 쉽지 않은데, 이를 가능하게 만드는 핵심 역할을 저(底)수가가 했다는 데에 있다.

의료기관 입장에서는 낮은 수가임에도 적정 수익을 내기 위해서는 박리다매식의 진료를 할 수밖에 없었고, 앞서 원가보전율 지표에서도 드러났듯이 상대적으로 원가보전율이 높은 검사 처방 비중을 늘릴 수밖에 없었다. 저(底)수가를 극복하기 위해서 의료기관들은 많은 의료 이용량을 진료량 증가를 통해 받아들일 수밖에 없었고, 또한 검사 처방 건 수를 늘려가게 되면서 지금의 기형적인 의료 시스템이 만들어진 것이다. 문제는 이러한 기형적인 시스템은 지속 가능하지 않다는 점에 있다. 이미 국민들의 경상 의료비는 빠르게 증가하고 있고, 의료기관들의 진료량 증가도 한계가 있으면서 규모에 따라 편중도 심하기 때문에 이 시스템을 유지하게 되면, 이 부하를 감당하기에 가장 힘들어하는 곳부터 붕괴가 시작될 것이다. 그 지점이 바로 1차 의료를 담당하는 의원급 의료기관들과 의료비 지출을 감당하기 힘든 저소득층이다.

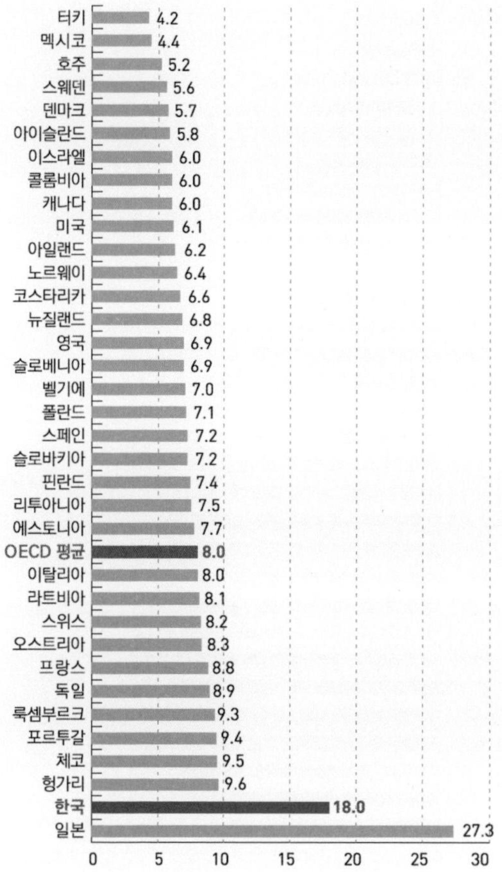

(단위: 일)

환자 1인당 병원 전체 평균재원일수, 2019년

* 1) OECD 평균은 2019년(혹은 인접 과거년도) 통계가 있는 35개국의 평균
  2) 콜롬비아는 2017년, 호주, 독일, 뉴질랜드, 미국은 2018년 수치

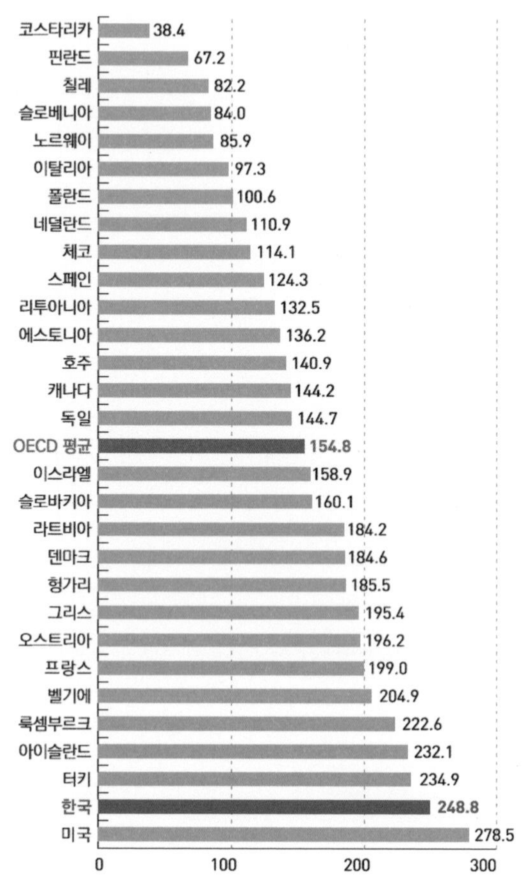

(단위: 건/인구 1,000명)

인구 천 명당 컴퓨터 단층 촬영(CT) 검사 건수, 2019년

* 1) OECD 평균은 2019년(혹은 인접 과거년도) 통계가 있는 29개국의 평균임
  2) 덴마크, 독일은 2018년 수치

② 비급여 의료 행위의 증가

저(底)수가가 만들어내는 두 번째 문제점은 바로 비급여 의료 행위의 증가이다. 앞선 자료에서도 보았듯이 대한민국 의료 수가는 원가에도 미치지 못하는 수준이기 때문에 건강보험에 포함되는 진료, 즉 급여 진료 행위의 경우에는 하면 할수록 손해가 발생할 수밖에 없다. 이러한 수가 구조로 인해 의료기관들은 가능하다면 손해를 피하기 위해서 비급여 진료를 할 수밖에 없다. 비급여 의료행위를 마치 불법 의료행위처럼 여기는 경우가 있어 미리 밝히지만, 비급여 의료행위도 신의료기술 평가 등의 과정을 통해서 효과와 안전성을 정부가 검증하고 승인한 의료행위이기 때문에 비급여를 권하는 의료기관을 무조건 비난하는 모습은 보이지 않았으면 한다.

일반적으로 의료행위나 검사, 약제들 중에서 효과와 안전성은 있지만 가격이 높거나 도입 기간이 짧은 경우에는 곧바로 건강보험 급여 항목으로 지정하기 어려운 문제가 있다. 비급여 의료행위 중에서는 시장 상황에서 따라서 사장되거나 퇴출되는 것들도 있고, 장기적으로 관찰했을 때 문제가 발생하는 경우도 있기 때문에 대부분 비급여 의료행위는 급여로 지정하기 전에 일정기간 관찰 기간을 가진다. 그런데 비급여 의료행위는 급여 항목이 아니기 때문에 정부나 건강보험 공단에서 가격을 정하지 않고, 의료기관에서 자체적으로 가격을 결정할 수 있게 되어 있다. 이에 의료기관에서는 당연히 급여 의료행위에서 발생한 손해를 비급여 의료행위를 통해서 메우려 할 것이기 때문에 비급여 의료행위는 급여 의료행위에 비해 가격이 높게 책정된다.

실제로 비급여 비용은 매년 증가하는 양상을 보이고 있다. 다만 건강보험 급여 비용이 더 빨리 증가하는 양상을 보이고 있어 전체 의료비 지출에서 비중이 커지고 있지는 않지만 국민들의 의료비 부담이 상승하는 요인으로 작용하고 있는 것은 부인할 수 없는 사실이다. 2020년 12월 보건복지부에서 발표한 '건강보험 비급여관리강화 종합대책'에 따르면, 2019년 국내 비급여 규모는 16.6조 원으로 총진료비 103.3조원의 16.1%를 기록했고, 문재인 케어 시행 이후에도 매년 1조원 이상의 상승을 보여주고 있다.

<건강보험 급여·비급여 규모('19년 기준)>

<table>
<tr><td colspan="3">건강보험환자 총진료비(103.3조 원, 100%)*</td><td></td></tr>
<tr><td colspan="2">급여(86.6조 원, 83.9%)</td><td rowspan="2">비급여
(16.6조 원,
16.1%)</td><td rowspan="2">(미용
• 성형)</td></tr>
<tr><td>공단부담(66.3조 원,
64.2%)</td><td>법정본인부담
(20.3조 원, 19.7%)</td></tr>
</table>

* 건강보험환자 총진료비 103.3조 원은 비필수의료서비스인 미용 • 성형 등은 제외하고 산출

<건강보험 급여·비급여 규모('19년 기준)>

구분	'15년	'16년	'17년	'18년	'19년
규모	11.5조	13.5조	14.3	15.5조	16.6
전년대비 증가율	2.5%	17.0	5.6	8.3	7.0%

정부가 비급여 문제에 대처하기 위해 내놓은 대책이 앞서 언급한 '건강보험 비급여관리강화 종합대책'이다. 이 대책의 핵심 내용들은 의료 소비자에게는 비급여 의료행위가 마치 나쁜 의료행위인 것처럼 홍보하면서 비급여 의료행위를 이용하기 어렵게 만들고, 의료 공급자에게는 비급여 의료행위를 하게 되면 행정 업무를

더욱 늘어나게 하여 비급여 처방을 하지 않도록 유도하는 것이다. 그리고 정부는 비급여 진료 평가를 통해 건강보험에 포함되지도 않아 심사 권한도 없는 비급여 의료행위에 대한 심사를 할 계획을 하고 있다. 또한 비급여 항목을 인위적으로 줄이기 위해 비급여 표준코드를 만들고 주기적 재평가를 할 계획을 가지고 있고, 실손보험과의 연계를 통해 보험가입자들의 비급여 의료행위 이용을 억제하려고도 하고 있다.

문제는 정부가 비급여를 관리하겠다고 내놓은 대책들을 보면, 원인에 대한 진단도 잘못되었고 실효성 없이 규제만 남발하고 있다는 점이다. 대부분의 대책들이 비급여 의료행위가 증가하고 있는 원인을 찾아서 해결하려고 하기 보다는 어떻게든 비급여 의료행위 자체를 억제할 방법만을 담고 있다. 비급여 의료행위가 늘어나는 근본 이유는 저(底)수가로 인해 급여 행위로는 원가도 보전하기 힘들기 때문인데, 이런 상황에서 근본 문제인 저(底)수가는 정상화할 생각을 하지 않고, 비급여만 억제하면 의료기관들은 살아남을 수가 없다. 근본 원인에 대한 해결 없이 현상만을 고치려 들면 결국 문제는 해결되지 않고, 더 큰 문제가 발생할 수밖에 없다는 사실을 명심해야 한다.

<비급여관리강화 종합대책 추진방안>

분야별 추진 방안	(의료소비자 측면) 합리적인 비급여 이용 촉진	① 비급여 진료비용 정보공개 확대 ② 비급여 진료 사전설명제도 도입 ③ 진료비 계산서 · 영수증 발급개선
	(의료공급자 측면) 적정 비급여 공급 기반 마련	① 비급여 보고체계 도입 ② 급여 · 비급여 병행 진료 관리 체계 구축 ③ 비급여 진료 평가 실시 및 활용
	(인프라 측면) 비급여 표준화 등 효율적 관리기반 구축	① 비급여 분류체계 개선 및 표준화 ② 비급여 표준코드 사용 의무화 ③ 주기적 비급여 재평가
	(거버넌스) 비급여관리 거버넌스 연계 협력 강화	① 의료보장 성과관리, 모니터링체계 구축 ② 실손보험과의 연계 협력 강화 ③ 비급여관리 민관협력체계 강화

③ 진료보조인력(PA) 등에 의한 불법 의료행위 증가

의료행위에 대한 합당한 대가를 받지 못하게 되면, 의료 행위량이 늘어날수록 의료기관은 손해를 보게 된다. 일반적인 경제 상황에서는 어떠한 행위를 함으로 인해서 손해를 입고 있고, 앞으로 손해가 더 커질 것이 예상된다면 해당 경제 행위는 중단하게 된다. 그런데 이러한 상식이 대한민국 의료 현장에서는 통하지 않고 있다. 분명히 급여에 해당하는 의료행위를 하게 되면, 의료기관은 손해를 보는 것이 분명함에도 아무리 의료 행위량이 늘어나도 의료기관들은 의료행위를 지속적으로 하고 있다. 특히 행위량에서 전체를 압도하는 수준인 상급종합병원과 대형종합병원들의 경우에도 의료행위 중단은 일어나지 않고 있다.

상식적으로 납득이 가지 않는 상황이 지속된다면, 당연히 비상식적인 방법이 동원되고 있음을 의심해야 한다. 대한민국 의료현장에서는 지금 현재도 비상식적인 방법을 넘어서 불법적인 방법을 통해서 의료행위가 광범위하게 이루어지고 있고, 그 핵심에 바로 진료보조인력(Physician Assistant, PA)이 있다. 의료기관들은 당연히 의사가 해야 하는 의료행위를 불법적으로 PA들에게 하도록 하여, 의사 채용으로 인해 발생하는 인건비 부담을 절감하는 방식으로 손해를 만회하고 있으며 이는 규모가 큰 상급종합병원으로 갈수록 더욱 광범위하게 이루어지고 있다.

PA들의 광범위한 불법 의료행위 실태는 지금까지 여러 차례 공공연한 사실로 드러났다. 병원간호사회가 발표한 '병원간호인력 배치현황 실태조사'를 보면, 2019년 12월말 기준 의료기관에 근무하는 PA 간호사는 총 4,814명이었고, PA 간호사의 56.4%인 2,713명이 상급종합병원, 43.3%인 2,087명은 종합병원, 나머지 14명(0.3%)은 병원에서 일하고 있었다. 전국보건의료산업노동조합이 2021년 5월 발표한 '불법의료 근절을 위한 현장 간호사 실태조사' 결과에서도 PA의 93.4%가 의사 업무를 대신하고 있다고 답함으로써 실질적으로 PA 대부분이 불법 의료행위를 하고 있음이 드러났다. 하지만 이러한 불법 의료행위를 처벌해야 할 주무부서인 보건복지부는 이 문제를 어쩔 수 없는 관행 정도로 치부하며 방관하고 있다.

더욱 큰 문제는 PA 불법 의료행위를 처벌하고, PA 문제가 발생한 근본 원인인 저(底)수가 문제를 해결하는 등의 근본적인 문제해결 의지가 정부에는 없다는 것이다. 정부는 부담스러운 수가 정상화 보다는 현재 불법으로 되어 있는 PA 제도를 합법화시키려 하고 있고, 이에 병원계와 많은 간호사 단체들이 동조하고 있는 상황이다. 하지만 의료법상 의료인들의 업무 범위가 분명히 규정되어 있는 상황에서 무리하게 이를 바꾸어 불법을 합법화 시켜주는 사례가 발생하게 되면, 이후에는 이와 유사한 상황 발생시 우후죽순처럼 보건의료인 업무 범위 수정 요청이 일어날 것이다. 밀접하게 연결되어 있는 보건의료인간 업무 범위를 한 직역이라도 무리하게 바꾸게 되면, 변화 요구는 연쇄적으로 일어날 것이라는 점을 반드시 명심해야 한다. 따라서 PA 불법 의료행위 문제를 해결하기 위해서는 근본 원인인 저(底)수가를 개선하려는 노력부터 시작해야 한다.

④ 과중한 업무로 인한 보건의료인 건강 문제 및 환자 안전 문제

산업화 시대를 거치고 21세기로 오면서 장시간 노동에 대한 인식은 점차 부정적으로 바뀌어 왔다. 이에 근로자들의 노동 시간은 점차 줄어드는 추세로 바뀌어 왔고, 최근에는 주 40시간 근무 및 초과근무 시간을 포함해도 주 52시간을 넘지 않는 것이 당연한 것으로 정착되었다. 특히 장시간 노동으로 인한 근로자 사망의 경우 최근에는 대부분의 사례가 산업재해로 인정이 되고 있고, 장시간 노동이 근로자의 건강에 매우 위험하다는 과학적, 법적 근거도 마련되었다. 그런데 이러한 법정 근로시간을 제대로 적용 받지 못하는 예외 직종에 보건의료 종사자들이 있다. 그 중에서도 의사들은 거의 대부분이 법정 근로시간을 초과하며 일을 하고 있고, 이에 대한 합당한 수당이나 보상도 제대로 받지 못하고 있다.

의사들의 근로시간 및 합당한 보상 여부 등의 실태를 알아보기 위해 봉직 의사들을 대표하는 단체인 대한병원의사협의회에서는 2019년에 봉직 회원들을 대상으로 설문조사 한 결과를 2020년에 발표하였다. 해당 발표 내용을 보면, 봉직 의사들은 주 40시간을 상회하는 정규 근무를 하고 있었고, 야간 당직이나 온콜 당직 등에 대해서는 제대로 된 수당도 받지 못하고 있었다. 휴가 일수도 법정 휴가 일수에 한참 미치지 못했고 그마저도 제대로 사용하지 못하고 있었으며, 아픈 곳이 있거나 질병 치료가 필요해도 병가도 제대로 사용하지 못하는 것으로 나타났다. 비교적 안정적으로 생활한다고 알려졌던 봉직 의사들의 근무 여건도 이 정도로 열악하다면, 전공의특별법 통과 이후 어느 정도 개선되었다고 하지만 여전히 격무에 시달리고 있는 전공의들의 상황은 더욱 심각할 것임을 미루어 짐작할 수 있다.

실제로 야간 당직 중 숨진 전공의나 젊은 나이에 갑작스럽게 사망한 의사들에 대한 기사가 드물지 않게 보도되고 있는 현실을 보았을 때, 과중한 업무는 보건의료인들 중에서도 특히 의사들의 건강을 심각하게 위협하고 있다. 그런데 문제는 의사나 보건의료인의 건강은 환자 안전과 밀접하게 연관되어 있다는 것이다. 장시간 연속 근무로 인해 수면 부족에 시달린 전공의의 오인 투약으로 인한 의료사고 사례 등을 보면, 의사의 건강과 컨디션이 얼마나 환자의 안전과 밀접하게 연관되어 있는지를 알 수 있다. 따라서 의사들로 하여금 환자 진료에 있어 최선의 건강 상태와 컨디션을 유지하게 하기 위해 적정 근로시간과 휴식 시간을 보장해 주는 것은 환자 안전의 측면에서도 반드시 필요하다.

1984년 미국에서는 고열과 오한 등의 증상으로 응급실을 찾은 환자 리비 지온(Libby Zion)이 병용처방 금기약물을 처방 받아 사망하는 의료사고가 발생했다. 의료사고의 원인은 18시간 이상 근무하고 있던 인턴이 졸음으로 인해 약 처방을 잘못한 때문이었다. 이 사건을 계기로 미국에서는 전공의들의 근무시간을 제한해야 한다는 여론이 생겨났고, 결국 주당 근무시간 제한과 연속 근무시간을 제한하는 일명 '리비 지온법'이 제정됐다. 대한민국에서도 전공의들의 주당 근무시간과 연속 근무시간을 제한하는 일명 '전공의특별법'이 2015년에 통과되었지만, 근무시간 기준 자체도 외국 선진국에 비해서는 긴 편인데다가 실제 병원 현장에서는 이 기준이 무시되는 일도 허다한 것으로 알려지고 있어 아직도 갈 길이 먼 상황이다.

그렇다면 왜 대한민국 의사들은 외국 선진국 의사들에 비해 훨씬 많은 노동을 해야 하고, 또 하고 있는지가 궁금하지 않을 수 없다. 대한민국 의사 및 보건의료 종사자들이 외국에 비해 더 많은 노동을 하는 이유의 핵심에는 저(底)부담과 저(底)수가가 있다. 저(底)부담으로 인해 발생하는 많은 의료 이용량을 감당하기 위해서는 많은 업무량이 필요하고, 저(底)수가로 인해 많은 인력을 고용하기 어렵기 때문에 보건의료 종사자 한 명당 많은 업무량을 감당하지 않으면 의료기관이 유지되지 않는다. 특히 의사들은 의료 행위의 핵심에 위치하고 있으면서도 경영과 밀접하게 연관되어 있는 경우가 많기 때문에 어쩔 수 없이 많은 업무량을 감내해 내고 있는 것이다.

결국 적정 부담과 적정 수가를 통해서 의료 이용량을 줄이고,

업무량이 늘어남에 비례해 충분한 인력을 고용할 수 있을 정도로 수가 인상이 동반되어야 현재의 의사 및 보건의료 종사자들의 과중한 업무량은 줄어들 수 있을 것이다. 해외 학회 발표에 나선 국내 외과 교수들이 일주일에 시행하는 수술 수를 반 이상 줄여서 발표하고, 외국 내시경 의사들이 처음에는 국내 의사들의 내시경 건수를 보고 "Unbelievable!"을 외쳤다가, 그 다음에는 내시경 수가를 보고 "Crazy!"를 외치는 지금의 대한민국 의료 상황을 우리는 부끄러워하면서 어떤 방식으로든 개선해 나가야 한다.

2) 요양기관 강제지정제 + 단일 공보험제 - 관치의료 시스템

(1) 요양기관 강제지정제는 무엇이 문제인가?

대한민국 국민들은 의무적으로 건강보험에 자동으로 가입하게 되어 건강보험료를 납부해야 하고, 건강보험에서 임의로 탈퇴할 수 없다. 또한, 대한민국의 모든 의료기관들은 건강보험이라는 공보험의 가입자인 대한민국 국민들에게 의료 서비스를 제공해야 하고, 국민들에 대한 건강보험 의료 서비스를 거부할 수 없다. 전 국민에게 적용되는 건강보험 당연가입제와 전 보건의료기관에 적용되는 요양기관 당연지정제로 표현되는 이 내용은 모두 법으로 규정되어 있어 이를 위반할 시에는 처벌을 받게 된다. 가입과 지정이 법에 의해 '강제'되기 때문에 엄밀히 말하면, 건강보험 당연가입제는 건강보험 '강제'가입제, 요양기관 당연지정제는 요양기관 '강제'지정제로 표현해야 마땅하다.

요양기관 강제지정제가 규정되어 있는 국민건강보험법의 내용을 보면 다음과 같이 기술되어 있다.

- 국민건강보험법 제42조 1항: 요양급여(간호와 이송은 제외한다)는 다음 각 호의 요양기관에서 실시한다. 이 경우 보건복지부장관은 공익이나 국가정책에 비추어 요양기관으로 적합하지 아니한 대통령령으로 정하는 의료기관 등은 요양기관에서 제외할 수 있다.
  1.「의료법」에 따라 개설된 의료기관
  2.「약사법」에 따라 등록된 약국
  3.「약사법」 제91조에 따라 설립된 한국희귀의약품센터
  4.「지역보건법」에 따른 보건소、보건의료원 및 보건지소
  5.「농어촌 등 보건의료를 위한 특별조치법」에 따라 설치된 보건진료소

- 국민건강보험법 제42조 5항: 제1항、제2항 및 제4항에 따른 요양기관은 정당한 이유 없이 요양급여를 거부하지 못한다.

국민들의 공보험 강제 가입을 법으로 규정한 국가들은 많이 있으나, 공공의료기관과 민간의료기관 가릴 것 없이 모든 의료기관을 건강보험이라는 공보험에 강제 지정한 대한민국의 요양기관 강제지정제와 같은 형태는 선진국들에서는 유사한 사례를 찾아보기 힘들 정도로 강압적인 정책이다. 일반적으로 외국의 경우 공공의료기관은 요양기관 당연지정제, 민간의료기관은 요양기관 계약제를 채택하고 있어, 민간의료기관들은 공보험 지정 여부를 계약에 따라 자유롭게 선택할 수 있게 하기 때문이다. 해외 선진국들이

민간의료기관들을 강제로 공보험에 지정하지 못하는 이유는, 민간의료기관들은 국가의 재산이 아니라 사유 재산이기 때문에 사유 재산을 제한하는 강제지정을 하게 되면 자유민주주의 헌법을 위반하게 되기 때문이다.

해외에서는 자유민주주의 헌법에 위배되기 때문에 감히 하지 못하는 요양기관 강제지정제로 인해 대한민국에서는 공공의료기관뿐만 아니라 민간의료기관도 건강보험의 틀에 강제로 묶이게 되었다. 그리하여 결국 민간의료기관들은 보험자인 건강보험공단과 건강보험공단을 관리하고 건강보험 정책을 만들어내는 보건복지부가 원하는 대로 움직일 수밖에 없게 되었다. 실제로 민간의료기관들은 건강보험 지정 거부를 할 수 없기 때문에, 급여 비용을 지불 받기 위해서는 정부가 정해놓은 급여 기준에 맞추어서 의료행위를 할 수밖에 없고, 정부의 보건의료 정책에 대한 거부조차 할 수 없는 상황에 놓여있다.

국가가 관리하는 공공의료기관의 경우는 강제 지정을 해도 문제가 없지만, 민간 자본으로 설립된 민간의료기관을 공보험에 강제지정 하는 것은 의료인의 직업의 자유를 침해하고 개인의 재산권을 침해하는 것이므로, 요양기관 강제지정제는 위헌의 소지가 있다는 지적은 국내에서도 끊임없이 이어져 왔다. 실제로 의료계에서는 2회(2002년, 2014년)에 걸쳐 강제지정제 위헌소송을 제기하였고, 해당 소송에 대해 헌법재판소는 강제지정제 합헌 판결을 하였으나 석연치 않은 판결로 인해 논란은 지속되고 있다.

2014년 요양기관 강제지정제가 의사의 직업 자유와 평등권,

의료소비자로서의 자기결정권을 침해한다는 취지로 제기한 위헌 소송 당시, 헌법재판소는 요양기관 강제지정제를 시행하더라도 의료인의 직업의 자유를 존중하는 제도가 마련되는 등 최소침해 원칙과 법익균형성원칙에 위배되지 않고, 의료소비자가 의료기관을 자유롭게 선택하고 비급여 의료행위를 선택할 수도 있으므로 국민의 선택권도 보장된다고 판결했다. 이 판결에서의 핵심은 바로 비급여 의료행위가 합법적으로 가능하기 때문에 의사의 직업의 자유가 침해된다고 볼 수 없고, 국민들도 비급여 의료를 선택할 수 있기 때문에 선택권도 보장된다는 점이었다.

그런데 현재 정부는 비급여 의료를 타도의 대상으로 정하여 비급여 항목을 줄여가고 있고, 비급여 의료행위 축소를 위해서 의료기관을 대상으로는 비급여 항목 의무 공개, 비급여 심사 등을 통해서 압박하고 있다. 또한 국민들을 상대로는 실손의료보험과의 연계를 통해 비급여 의료를 선택하지 않도록 압박을 가하고 있다. 결국 2014년 헌법재판소가 요양기관 강제지정제에 대해 합헌 판결을 내렸을 당시 합헌의 핵심 내용이었던 의사들의 자유로운 비급여 의료행위 시행과 국민들의 자유로운 비급여 의료 선택을 정부가 심각하게 침해하고 있는 것이다. 따라서 정부가 의사와 국민들의 자율성을 보장하고 있었던 비급여 의료를 강제로 억압하는 지금의 정책 방향을 유지하게 되면, 역설적으로 요양기관 강제지정제의 위헌성을 더욱 부각시키는 결과로 이어지게 되는 것이다.

(2) 단일 및 다 보험자제도별 특징은 무엇이고, 대한민국 단일 공보험제도의 문제점은 무엇인가?

단일 보험자제도와 다 보험자제도는 각각 장단점이 있고, 명확하게 어떤 보험자제도가 더 우월하다고 말하기는 어렵다. 따라서 각 국가별로 자신들의 상황에 맞는 보험자제도를 운영하고 있으며, 단일 보험자제도의 경우는 대부분 정부나 공기업이 보험자 역할을 하는 단일 공보험제도를 운영하고 있고, 다 보험자제도는 국가별로 사보험의 역할이 큰 경우도 있고, 공보험의 역할이 큰 경우도 있어 다양한 형태가 존재한다.

일반적으로 단일 보험자제도는 보험자와 의료제공자간의 계약이 일괄적으로 이루어지기 때문에 의료기관별로 계약 내용에 차이가 없다. 또한 보험자와 계약대상자간의 보험 계약에도 일괄적인 보험 내용이 적용되며, 단일 보험자제도를 유지하는 대부분의 국가에서는 국민들의 보험 가입이 의무화되어 있어 모든 국민의 보험 내용이 같은 경우가 대부분이다. 반대로 다 보험자제도는 보험자와 의료제공자간에 다양한 계약이 존재하고, 보험자와 계약대상자간의 계약에도 다양한 보험 내용이 가능해 개인별 맞춤형 계약도 존재한다.

일반적으로 알려진 단일 보험자제도와 다 보험자제도의 장단점을 정리하면 아래의 표와 같다.

	단일 보험자제도	다 보험자제도
장점	• 보험료와 관계없이 모든 가입자에게 기본적인 보험 내용을 보장해 줄 수 있음 • 의료제공자간 경쟁이 적고, 비용 청구 과정에서 관리비가 적어 안정적으로 의료서비스 인프라 구축이 가능함 • 대부분 정부가 가격 결정권을 가지고 있어 의료비가 저렴하고, 의료기관 접근에 제한이 없음	• 가입자에게 자신의 요구 조건에 맞는 보험 상품의 선택권 부여 • 의료제공자간 경쟁이 유도되며, 이를 통해 의료 서비스의 질이 향상됨 • 보험사가 의료기관의 개별 의료행위에 대한 타당성을 묻기 때문에 과잉진료/과잉시술을 억제함
단점	• 가입자에게 보험 상품 선택권이 없어, 개별적 요구에 따라 사보험 가입이 필요함 • 의료제공자간 경쟁이 유발되지 않아 의료 서비스의 질이 낮아짐 • 의료보험이 정부의 정치적 목적 달성을 위한 수단으로 이용될 수 있음	• 병원/의사들이 가격 결정권이 있어 기본적인 의료비가 높음 • 보험사에 따라서 접근 가능한 병원이 정해짐 • 복수의 보험사들에게 치료비용을 청구(claim)하는 과정에서 높은 관리비 발생

단일 보험자제도와 다 보험자제도의 장단점은 이미 널리 알려져 있기 때문에, 쉽게 생각해보면 양쪽의 장점은 키우고 단점은 줄여나가는 방향으로 보험 시스템을 만들면 가장 이상적일 것이다. 하지만 이상적인 시스템은 실제로 구축하기가 쉽지 않으며, 이는 대한민국 보험 시스템의 현실만 보아도 쉽게 알 수 있다. 앞서 밝힌 바와 같이 대한민국은 단일 공보험제도를 유지하고 있으므로, 단일 보험자제도의 장단점이 나타나고 있다. 하지만 대한민국의 단일 공보험제도는 단일 보험자제도의 단점뿐만 아니라 다 보험자제도의 단점도 가지고 있다는 문제가 있다.

단일 공보험제도의 문제로 지적되는 약한 심사기능을 강화하기 위해서 정부는 건강보험심사평가원(이하 심평원)을 설립하였으나, 시간이 지나면서 건강보험공단과 함께 심평원 조직도 거대화되고 권력화되면서 문제가 생기고 있다. 심평원은 정부의 의료비 통제 정책의 행동대장 역할을 하면서 현실에 맞지 않는 급여기준을 통해서 의료기관에 지급해야 할 급여비용을 과도하게 삭감하거나, 심사를 이유로 의료기관들에 과도한 자료 제출 요구 등 행정 부담을 지우고 있다. 결국 낮은 수가 때문에 힘들어하던 의료기관들은 과도한 심사와 행정 업무 부담으로 인해 안정적인 의료기관 운영이 어려워 폐업을 하고 있고, 이는 안정적인 의료기관 운영이 가능해 의료 서비스 인프라 구축이 용이하다는 단일 보험자제도의 장점이 대한민국에서는 적용되지 않는 결과로 이어졌다.

단일 공보험인 건강보험으로 통합되기 이전에는 지역의료보험, 직장의료보험, 공무원 및 교원의료보험 등 복수의 보험자가 존재하여 상호 경쟁 및 견제가 가능했으나, 통합 이후에는 보험자가 단일화 됨으로 인해 여러 가지 문제가 발생하기 시작했다. 보험자간 경쟁이 사라지게 되어 방만한 보험 재정 운영으로 인해 재정누수가 심각해졌고, 심평원의 현실성 없는 급여기준에 의해서 과소진료가 유발되고 이로 인해 의료의 질 저하가 초래되고 있다. 또한 건강보험공단과 심평원의 독립성이 확보되지 않아 포퓰리즘 정책 추진 등 정부의 정치적 목적에 의해 건강보험이 이용되는 사례들도 빈번히 일어나고 있다. 결국 대한민국만이 가지고 있는 이러한 단일 공보험제도의 문제점들을 해결하지 못하면, 지속 가능한 의료보험 시스템은 유지되기 어려울 것임을 알 수 있다.

(3) 요양기관 강제지정제와 단일 공보험제도가 유발하는 관치의료는 왜 문제인가?

대한민국 의료 시스템은 요양기관 강제지정제로 의료기관을 건강보험의 틀에 강제로 묶어두고, 건강보험의 운영 주체를 건강보험공단으로 단일화시켜 의료기관과 보험자 사이의 관계를 수직구조로 만들어냄으로써, 결국 정부가 원하는 방향으로 모든 의료기관을 조종할 수 있는 관치의료 시스템으로 향하고 있다. 그렇다면 정부가 모든 의료 시스템과 인프라를 조종하는 관치의료 시스템은 어떠한 문제점을 만들어 내는지 알아볼 필요가 있다.

관치의료가 일으키는 첫 번째 문제점은 의료의 획일화와 이로 인해 발생하는 의료의 질 저하이다. 관치의료 시스템 하에서 의료기관이 의료 행위에 대한 대가인 급여비를 제대로 지급받기 위해서는 의사가 교과서적인 진료나 최신 지견에 의한 진료보다는 정부가 정한 급여기준에 맞추어 진료를 해야 한다. 이는 곧 의료의 자율성이 심각하게 훼손되는 결과로 이어져, 어느 의사나 환자에게 똑같은 의료행위를 하는 의료의 획일화로 이어지게 된다.

획일화된 진료 패턴으로 인해 의사들은 다양한 환자 상태를 고려하기 힘들어지고, 이는 치료 결과에 영향을 미칠 수밖에 없다. 또한 정부는 최근 관치의료의 영역 밖에 있던 비급여 항목들을 과도하게 급여화시키고 있어, 의사들의 비급여를 통한 진료의 자율성 확보 및 최신 의료 도입도 어려워지고 있는 상황이다. 결국 급여 기준의 통제를 통한 의료의 획일화와 이를 더욱 공고히 하는 비급여 의료행위 축소는 환자 치료 성과를 떨어뜨리고, 빠르게 발전하는 세계 의료 수준에 적응하지 못하게 되어 의료의 질 저하를 유발하게 된다.

관치의료가 일으키는 두 번째 문제점은 의료가 포퓰리즘 정책에 악용될 수 있다는 점이다. 올바른 의료 시스템 및 보험제도에 대한 개념이 없는 대부분의 정부는 의료를 복지의 개념으로만 생각하고, 복지 확대를 통해서 국민들의 지지를 얻으려는 정치적인 목적으로 의료를 이용하려고 한다. 따라서 이러한 포퓰리즘 의료 정책을 정부가 마음대로 실행하려면, 의료를 언제든 정부가 조종할 수 있는 관치의료 시스템 강화가 필수적이다. 대표적인 포퓰리즘 의료 정책인 문재인 케어에서 비급여 의료행위를 과도하게 급여화 시킨 목적은, 포퓰리즘으로 인기를 얻음과 동시에 비급여 축소를 통한 의료의 획일화를 이끌어내어 관치의료를 더욱 공고히 하고자 하는 목적이 숨어있다고 볼 수 있다.

관치의료 시스템이 의료의 획일화를 통한 의료의 질 저하, 포퓰리즘 정책에 의료가 이용되는 문제 이외에도 다양한 문제들을 발생시킴으로써 지속 가능한 의료 시스템이 아니라는 사실은 이미 역사적으로 증명되어 있다. 과거 소련 및 동구권을 중심으로 공산주의 의료 시스템을 구축했던 국가들은 철저히 국가가 의료를 통제하는 관치의료 시스템을 유지했고, 그 결과 공산주의 국가들의 의료 수준 및 인프라는 세계 최하 수준을 기록하게 되었으며 이는 공산주의가 몰락한 현재까지도 쉽게 회복되지 못하고 있다. 관치의료 시스템을 유지했던 국가들의 국민들은 낙후된 의료 수준과 인프라로 인해 고통받을 수밖에 없었다. 공산권 국가들의 국민들이 병원에서 제대로 치료받기 위해서는 의사들에게 웃돈을 쥐

야만 했던 일은 공공연한 사실로 받아들여지고 있을 정도이다.

결국 정부가 모든 것을 바르게 통제하고 관리할 수 있다는 착각에서 추진되는 관치의료 시스템은 절대로 성공할 수 없다. 그런데 현재 정부의 주도에 의해 대한민국의 의료 시스템은 이미 실패한 정책임이 증명된 관치의료 시스템으로 가고 있다. 관치의료 시스템으로의 진행을 막기 위해서는 관치의료 시스템 구축에 필수적인 요소인 요양기관 강제지정제, 단일 공보험제도, 비급여 통제 정책 등의 전면적인 수정 및 전환이 이루어져야 한다. 하지만 이러한 정책의 전환은 쉬운 일이 아니며, 정책 전환을 이끌어내기 위해서는 정부 차원의 개혁 방안 마련과 함께 이를 대체할 수 있는 합당한 대안 역시 마련되어야 한다.

4

외국의 의료보험 제도

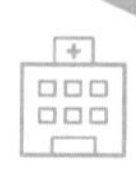

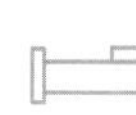

4. 외국의 의료보험 제도

대한민국 의료 시스템이 장기적으로 지속 가능하면서도 올바른 방향으로 가기 위해서는 현재의 시스템을 대체할 수 있는 대안이 마련되어야 한다. 대한민국에 맞는 올바른 의료 시스템과 보험 정책을 알아보기 위해서는 현재 다양하게 운영되고 있는 외국의 의료 시스템과 보험 정책을 알아볼 필요가 있다. 특히나 의료의 질적인 측면에서 대한민국과 비슷한 수준을 유지하면서도 국민 의료비 부담이 적정 수준을 유지하는 국가들을 중심으로 이들의 시스템을 알아보고, 대한민국에 적용될 수 있는 적절한 제도나 시스템이 있다면 이를 적극적으로 도입할 필요가 있어 보인다.

외국의 의료보험 제도를 알아보기 위해서 주로 국민건강보험 건강보험정책연구원에서 2017년 12월에 발간한 '주요국의 건강보험제도'를 참고하였고, 추가적인 자료 검색을 통해 관련 내용을 파악하였다.

1) 독일의 의료보험 제도

- 전 국민은 공적 또는 민간 의료보험에 의무 가입이 원칙이다.
- 보험자는 공적보험(직종별 6종류의 건강보험조합이 120여개 있음)과 민간보험이 있다.
- 의무가입 범위(공적, 민간)는 정해져 있으나 그 범위 안에서는 보험자를 국민들이 자유롭게 선택할 수 있다.
- 공적보험 가입자도 보충형 민간 보험에 가입할 수 있다.

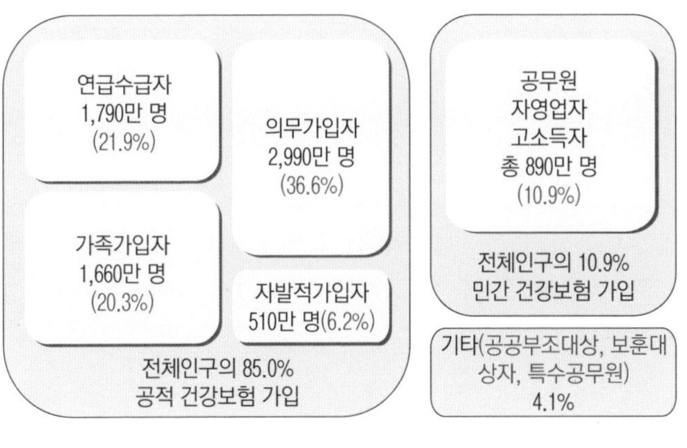

독일 건강보험 가입자 구성

- 공적보험의 보험료는 소득의 14.6% 정도로 높으나 환자의 본인부담금(소득의 1~2% 이내로 정해짐)은 거의 없다. 따라서 병원에서 고지서를 대부분 따로 받지 않는다.
- 리스크 구조조정(Morbi-RSA): 건강기금은 리스크 구조조정(Morbi-RSA)을 통해 보험자에게 연령, 성별, 질병 이환율을 고려한 피보험자 수만큼의 총액을 분배함에 있어 보험자의 리스크를 균등하게 고려하여 배분한다.

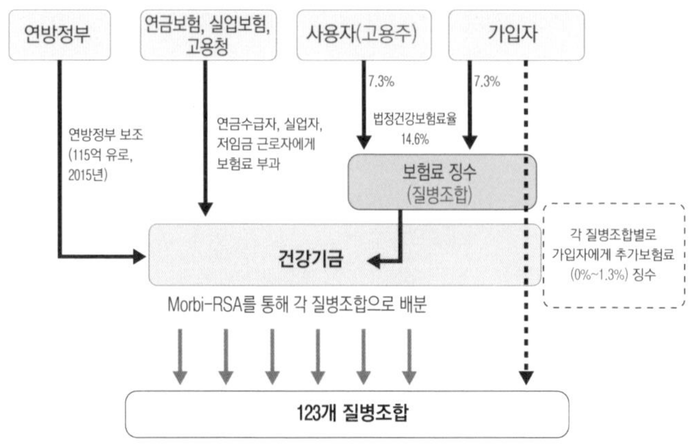

독일 건강보험 재원조달(2015년 이후)

- 외래부분은 보험자와 보험계약의사 단체간의 계약에 의한 총액계약제를 채택하고 있으며, 급여비 지불은 보험자가 아닌 의사단체가 개별 의원들에 진료량에 근거하여 지불한다(총액계약제 + 행위별수가제). 그리고 의원 개설을 위해서는 지역 보험계약의사 단체의 승인이 있어야 한다.
- 정부는 주치의제 참여를 유도하며, 국민들이 주치의를 선택하는 것은 자유로우나 주치의 선택 이후로는 1차 진료는 항상 주치의에게만 받아야 한다. 주치의 지정을 하지 않아도 되나 주치의를 지정하게 되면 혜택을 더 주는 방향으로 국민들의 주치의제 참여를 유도한다.
- 병원은 외래 진료를 거의 하지 않고 입원 진료 위주로 운영된다. 입원 부분은 포괄수가제를 채택하고 있다. 독일에서 각 병원은 주(州) 건강보험조합연합회와 개별적으로 계약을 체결하고 있다.

- 공적보험과 관련하여 의료 정책 및 수가 등을 결정하는 의결기구인 연방공동위원회(G-BA)가 있으나 G-BA(우리의 건정심과 비슷)는 민간보험에는 관여하지 않는다. 의장 및 중립위원 3인, 보험자 대표 5인, 공급자 대표 5인으로 구성되어 관련 내용을 의결하며, 환자 대표자 5인도 위원회에 참여할 수는 있으나 의결권은 없다.

독일 연방공동위원회(G-BA)의 구성

<table>
<tr><td colspan="2">의장(중립의원)</td><td>1인</td><td rowspan="6">계: 13인</td></tr>
<tr><td colspan="2">중립의원</td><td>2인</td></tr>
<tr><td colspan="2">연방건강보험조합연합회</td><td>5인</td></tr>
<tr><td rowspan="3">공급자 대표</td><td>연방보험의사협회</td><td>2인</td></tr>
<tr><td>독일병원협회</td><td>2인</td></tr>
<tr><td>연방보험치과의사협회</td><td>1인</td></tr>
<tr><td colspan="2">환자 대표자</td><td colspan="2">5인</td></tr>
</table>

독일의 의료보험 제도를 보면, 전체적으로 정부가 많은 부분에 관여하고 있지만 제한적이지만 가입자의 선택권이 주어지고, 공급자의 자율성도 보장되는 모습을 보여주고 있다. 특히 인상적인 부분은 병원급에서는 외래 진료가 거의 이루어지지 않는다는 점과 개별 병원들은 강제 지정이 아니라 지역 의료보험 조합과 계약을 통해 보험 진료를 하고 있다는 점이었다. 또한, 외래 진료 부분은 총액계약제를 채택하고 있어 의료의 자율성이 상당히 침해될 수 있으나, 이러한 우려를 줄이기 위해 급여비 지불권이나 의원 개설 승인권을 의사 단체에 맡김으로써 의사 내부적으로 조율이 가능하도록 해놓은 점도 인상적이었다.

공급자에게 매우 불리한 구조로 되어 있는 대한민국의 건정심(건강보험정책심의위원회)과는 다르게 건정심과 같은 조직인 독일 연방공동위원회(G-BA)는 인적 구성이 보험자와 공급자 사이의 형평성을 비교적 유지되고 있는 것도 눈에 띄었다. 더욱 놀라웠던 점은 연방공동위원회의 결정은 민간보험에는 적용되지 않는다는 점으로, 전체 국민 중에 가입자의 비중이 적긴 하지만 민간보험의 자율성과 민간보험 가입자의 권리를 충분히 인정하고 있었다. 이는 공보험과 민간보험 사이의 경쟁을 유발할 수 있는 장치로 생각되고, 공보험 조합도 120여 개에 달할 정도로 다양하여 공보험 조합간에도 경쟁 유발이 가능한 구조가 만들어져 있는 모습이 대한민국과는 많은 차이가 있었다.

2) 일본의 의료보험 제도

- 전 국민 의료보험 가입이 의무화되어 있다.
- 보험자는 직장의료보험와 지역의료보험로 나누어져 있고, 각 의료보험 내에도 복수의 보험자가 존재하는 다 보험자 체제를 유지하고 있다.
- 재원조달은 보험료와 국고보조금으로 이루어지며, 국고 보조 비율은 각 보험별로 상이하다.

일본 건강보험제도의 구분

건강보험	(직장)건강보험	건강보험	전국건강보험협회 관장 건강보험
			건강보험조합 관장 건강보험
		선원보험	
		공제조합	국가공무원 공제조합
			지방공무원 공제조합
			사립학교교직원 공제
	(지역)건강보험	국민건강보험 : 농업 종사자, 자영업자, 퇴직자 등 시정촌 및 그 외 국민건강보험조합(직종조합)	
	후기고령자의료제도	후기고령자의료제도	

- 민간중심의 의료공급체계에서 국민들은 대형병원 및 전문의료기관을 포함해 자유롭게 의료를 이용할 수 있도록 보장된다.
- 종전에는 법제화된 주치의 제도는 없고, 단골의사의 개념만 있어 정부에서는 단골의사 이용을 권장했다.
- 하지만 단골의사도 수가 보장을 하기에 현재는 제도화된 것으로 인식되고 있으며, 일본 정부는 코로나19 팬데믹 이후 단골의 수가를 대폭 확대시켰다. 최근에는 단골의사 이외에 영국식 주치의 제도와 유사한 총합의 제도를 활성화 하고 있다.
- 요양기관은 당연지정 되어 있지 않고, 기관의 신청이 있으면 지방후생국에서 지정하도록 되어 있어 실질적으로는 요양기관 지정신청제를 운영하고 있다. 또한 일본은 기관뿐만 아니라 보험의사도 따로 지정하는 이중지정제를 운영 중이다.
- 행위별 수가제를 채택하고 있고, 병원급에서는 포괄수가제의

형태인 DPC를 확대 추진 중이다. 진료비 심사는 지역과 직장 의료보험이 서로 심사기관이 상이하며, 보험자가 자체 심사할 수도 있는 것으로 되어 있다.

- 1, 2, 3차 의료기관의 분류가 있고, 초기 의료는 1, 2차 의료기관에서 주로 시행하며 3차 의료기관은 주로 의뢰되어 온 환자에 대한 진료를 담당한다. 3차 의료기관 이용에 큰 제약은 없으나, 경증 질환으로 3차 의료 기관을 방문하는 경우는 거의 없다.
- 연령별로 급여율과 본인 부담율이 상이하다.

연령구분	급여율	본인부담비율 (전체 진료비의 일정 정률)
75세 이상	90% (일정소득 이상은 70%)	10% (일정소득 이상은 30%)
70 - 74세	80%(90%) (일정소득 이상은 70%)	20%(10%로 동결) (일정소득 이상은 30%)
초등학생 - 69세	70%	30%(본인 및 가족 모두)
초등학교 취학전	80%	20%

- 의료정책 및 수가 결정권은 후생노동성 장관이 가지고 있으나 이 과정에서 자문기관인 중앙사회보험의료협의회(중의협, 우리의 건강보험정책심의위원회와 비슷)의 자문을 받는다. 중의협은 자문기관으로 되어 있지만, 일본 내에서는 사실상 결정기관으로 취급하고 있다.

중의협 구성

구분	건강보험, 선원보험 및 국민건강보험의 보험자 및 피보험자, 사업주 및 선박소유자를 대표하는 위원(7명)	의사, 치과의사 및 약제사를 대표하는 위원(7명)	공익을 대표하는 위원(6명)
1	전국건강보험협회 도쿄지부장 (소규모직장보험자단체)	일본의사회 상임이사 (임의가입, 약 60% 가입단체)	게이오대학 종합정책학부 교수
2	건강보험조합연합회 전무이사 (대규모직장보험자단체)	일본의사회 진료수가위원장	와세다대학 정치경제학술원 교수 1
3	일본노동조합총연합회 종합정책국장(노동조합단체)	일본의사회 부회장	와세다대학 정치경제학술원 교수 2
4	일본노동조합총연합회회 의료확립위원(노동조합단체)	일본정신과병원협회 부회장	메이지학원대학 법학부 교수
5	일본경제단체연합회 의료개혁부회장(경제인단체)	일본병원회 상임이사	메이지야스다생활복지 연구소 수석연구원
6	전일본해원조합 부조합장 (선박소유자단체)	일본치과의사회 상무이사	국립사회보장인구문제 연구소소장 → 현 중의협 위원장
7	아이치현츠시마시 시장 (지역보험자, 기초지자체장)	일본약제사회 부회장	–

자료: 후생노동성, 제64회 사회보장심의회 의료보험부회 회의 자료, 2013. 7. 25.

일본의 경우도 독일과 마찬가지로 정부의 의료에 대한 적극적인 개입이 있지만 다 보험자 체제를 유지하고 있고, 강제지정제를 도입하지 않고 있었다. 대한민국과 유사한 점은 행위별 수가제를 운영하고 있다는 점과 1, 2, 3차 의료기관 이용에 있어서 별다른 제약이 없다는 점이지만, 국민 성향의 차이로 인해 3차 의료기관에 환자가 집중되는 현상은 일어나지 않고 있다. 일본은 OECD 국가 중에 대한민국보다 입원 병상 수나 재원일수가 긴 유일한 국가인데, 이는 인구 중 높은 비중을 차지하는 고령층에 대한 급여율을 높게(본인 부담이 낮게) 유지함으로써 고령층이 비용적 부담

없이 병원에서 진료 및 요양을 받을 수 있도록 한 점이 원인으로 작용하고 있는 것으로 보인다.

행위별 수가제, 요양기관 신청제, 다 보험자체제, 고령층에 대한 높은 급여율, 많은 병상 수와 긴 재원 일수 등 일본 의료 시스템에서 드러난 특징들을 보면 의료비 지출이 매우 높을 수밖에 없어 보인다. 하지만 일본은 의료비 관련하여 공적 지출 비중이 높고 가계지출비중이 낮은 국가에 속하면서도 다양한 의료비 절감 노력을 기울이고 있다. 그 중에서 예를 들면, 일본에서는 임의분업(병의원에서 원내 조제와 원외 조제를 임의로 선택할 수 있음)을 통해 약제비 및 조제비 절감을 이루어내고 있고, 의원들의 원내 조제가 가능하여 역세권이 아니더라도 소규모 동네 의원 개원이 가능해진 것도 의료비 절감을 이끌어내고 있는 요인 중 하나로 보고 있다.

3) 호주의 의료보험 제도

- 호주는 사회보험 형식이 아닌 메디케어(Medicare)라 불리는 조세를 재원으로 하는 보편적인 전국민 건강보험제도를 채택하고 있다.
- 민간보험은 민간병원에서의 진료 부분 일부와 비급여 부분에 대한 진료를 보장하는 보충적 역할을 하고 있으며, 정부에서는 오히려 민간보험 가입을 장려하고 있다. 이로 인해 정부 주도의 전국민 건강보험제도를 채택하고 있음에도 국민들의 민간보험 가입률은 50%에 육박한다.
- 민간보험 가입 이유는 메디케어 혜택을 받지 못하는 서비스에

대해 혜택을 받을 수 있고, 민간병원에서 입원치료를 받기 위해 대기하는 시간이 공공병원보다 짧고 의사를 선택할 수 있기 때문이며, 개인병실을 이용할 수 있기 때문이다.

- 재원조달 비중은 일반조세와 메디케어 의료세(소득의 1.5%)로 구성된 공공재원(70%)과 본인부담금 및 민간보험으로 구성된 민간재원(30%)으로 되어 있다.
- 보편적 급여는 메디케어급여제도(MBS)를 통해 보장된다. 공공병원 입원은 무상이며, 일반적으로 메디케어 급여는 수가의 85%이므로 본인부담금이 15% 정도이다. 비급여나 일부 항목 경우는 본인부담 비율이 높아진다.
- 민간병원 입원 시에는 메디케어 급여 수가의 75% 정도 보장되나, 병원의 수가가 메디케어 수가보다 높은 경우 그 차액과 병실비, 수술실 이용료와 약값은 본인이 부담해야 한다.
- 공공병원은 총액예산 방식 하에 호주식 포괄수가제(AR-DRG)를 지불방식으로 택하고 있다.
- 민간병원의 지불은 병원과 주(州)정부간 서비스 구매계약에 따른다. 일반적으로 의료행위에 대해서는 MBS에 따라 75% 행위별 수가로 지급되며 나머지는 환자 본인 부담이다.

공공 및 민간병원 현황(2010-2011)

구분	병원 수(개)	병상 수(개)
공공병원(Public hospitals)		
공공급성병원(Public acute hospitals)	735 (97.7%)	55,789 (96.6%)
공공정신병원(Public psychiatric hospitals)	17 (2.3%)	1,983 (3.4%)
소계	752 (100.0%)	57,772 (100.0%)
민간병원(Private hospitals)		
민간병원(Private free standing day hospital facilities)	303 (51.5%)	2,822 (10.2%)
기타 민간병원(Other private hospitals)	285 (48.5%)	24,926 (89.8%)
소계	588 (100.0%)	27,748 (100.0%)
계	1,340	85,520

- 호주는 GP진료(통상적인 1차 의료기관 진료)시 의사가 의료행위에 대한 가격 결정권을 가진다. 의사가 의료행위를 하고 직접 메디케어에 청구(이 경우를 bulk billing 이라고 표현하며 전체 메디케어 서비스의 76.5%가 이 방식으로 지불됨)하는 경우를 제외하면, MBS 수가를 따를 필요가 없다. GP 진료는 행위별 수가제를 채택하고 있다.
- MBS 수가보다 의사가 진료 행위 가격을 높게 책정한 경우에는 환자는 진료비 전액을 의사에게 지불하고, 영수증을 받아 메디케어 지역사무소로 청구하여 MBS 수가만큼을 환급 받도록 하고 있다.

호주의 의료보험 시스템은 매우 독특하다. 사회보험이 아닌 메디케어라고 불리는 영국식 NHS를 운영하면서도, 메디케어의 비중을 많이 높이지 않고 국민들에게 민간보험 가입도 권장하면서 정부의 부담을 줄이는 방법을 채택하고 있기 때문이다. 이는 정부의 직무유기처럼 보일 수도 있지만, 공적 부담을 줄이면서도 국민들에게 자율적으로 선택권을 주기 위한 방안으로 생각할 수도 있다. 실제로 호주는 이러한 방식을 택하고 있으면서도 경상의료비 중 공적 재원 비중이 대한민국보다 높은 국가이다. 물론 전체 경상의료비 규모도 대한민국보다 높다.

호주의 의료보험 제도에서 가장 눈에 띄는 것은 메디케어급여제도(MBS)이다. MBS는 공공병원에는 85% 급여율, 민간병원에는 75% 급여율을 유지하고, 민간병원 이용 시 추가 비용 부담 등을 통해 보다 높은 본인부담금을 부담하도록 규정하고 있다. 공공병원은 입원 치료 대기시간이 길기 때문에 어느 정도 경제적 여유가 있는 국민들은 당연히 민간병원 이용을 선호하게 되고, 이 때 발생하는 추가 비용이 부담되기 때문에 민간보험에 가입할 수밖에 없는 것이다.

의사 입장에서 호주의 의료보험 제도 중 가장 인상적이었던 부분은 의료 행위 및 가격 결정권이 보장되는 GP 진료(1차 의료기관 진료)이다. GP 진료에서 허용되는 행위별 수가제, 수가 결정권 등의 내용은 호주가 NHS를 운영하고 있는 국가가 맞나 싶을 정도로 1차 의료기관 진료에 있어서 자율성을 보장하고 있는 부분이었다. 다만 1차 의료기관도 경쟁이 유발되기 때문에 환자 편의를 제공하기 위해 MBS 수가에 따르고 청구를 대행해 주는 등의 서비스(bulk billing)를 제공하는 경우가 전체의 3/4에 해당하는 점을 보면, 호주 정부는 의료기관들이 경쟁을 통해서 자율적으로 정부 시스템에 따르도록 유도하고 있는 것으로 보인다.

4) 프랑스의 의료보험 제도

- 프랑스는 사회보험 방식의 의료보험 제도를 운영하고 있고, 전국민이 보험 가입의 대상이지만 보험 가입자의 직업에 따라 복수의 보험자가 존재한다.
- 프랑스는 대한민국이나 독일, 네덜란드 등과는 다르게 환자가 의료기관에서 치료를 받으면, 의료비 전액을 의료기관에 지불하고 사후에 환급을 받는다. 의료비를 사후 환급해주는 방식을 택하는 국가는 프랑스 이외에도 벨기에, 룩셈부르크 등이 있다.
- 프랑스는 주치의제도를 운영하고 있는데 일반의와 전문의 누구나 주치의가 될 수 있으며, 16세부터 보험가입자는 주치의를 선택할 수 있고 원할 때 자유롭게 주치의를 변경할 수 있다. 보험가입자는 처음부터 반드시 주치의를 방문해야 하고, 주치의가 상급 병원 진료의 필요성 여부를 결정한다. 주치의를 먼저 방문하지 않고 상급 병원을 방문했을 경우에는 의료비 환급액이 줄어든다.
- 프랑스 일반건강보험의 주요 재원은 보험료, 사회보장분담금(CSG), 사회보장목적세(ITAF)와 기타로 구분된다.
- 보험료와 사회보장분담금은 국민들이 직접 부담하는 재원이고, 사회보장목적세는 알콜소비세, 담배소비세, 의약품 관련세금 등의 형태로 간접적으로 부담하는 재원이다.
- 프랑스는 공적건강보험 재정의 만성적인 적자를 해결하기 위해 수입 측면에서 보험료 비중을 줄이고, 재원을 다양화하는 방향으로 전환했다. 이에 2002년과 2014년을 비교했을 때, 일반건강보험의 건강보험료는 52.0%에서 47.2%로 감소하고,

사회보장분담금(CSG)은 33.3.%에서 33.9%로 비슷하였으며, 사회보장목적세(ITAF)는 1.6%에서 14.9%로 증가하였다.

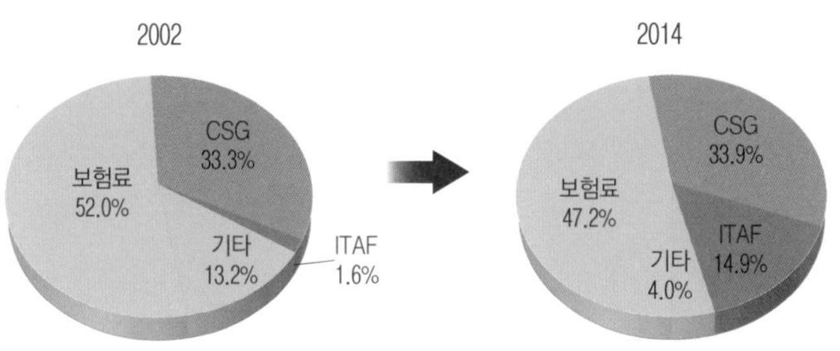

프랑스 일반건강보험의 재원별 비중 변화

- 병원급 의료기관의 지불체계는 포괄수가제로 공공병원(비영리 민간병원 포함)은 지역보건청에서 병원이 제출한 자료를 평가하여 병원별 예산과 포괄수가(799개 동종질병군, GHM)를 결정하고, 영리 민간병원은 지역보건청이 영리 민간병원과 포괄수가(799개 동종질병군) 계약을 통해 결정하면 보건부장관이 승인한다. 종전에는 총액예산제 방식을 택했으나 2004년부터는 점진적으로 동종질병군(GHM)에 따라 미리 정해진 가격으로 보상하는 포괄수가제(T2A) 방식으로 대체되고 있다.
- 프랑스의 외래 진료 즉, 1차 의료기관의 지불체계는 행위별 수가제이다. 외래진료 의사는 의료행위 및 서비스 상환목록(의료행위공통분류표, CCAM)의 코드에 기준하여 행위별 방식으로 보상받는다.
- 개원의는 1부문(Secteur 1) 의사와 2부문(Secteur 2) 의사로 나누어지는데, 1부문 의사는 전국협약(convention nationale)에서

정해진 협약 표준요금에 따라 지불받는다. 2부문 의사는 자유롭게 진료비를 책정할 수 있으나, 1부문 의사와 같이 협약 표준요금만을 보험공단으로부터 지불받는다.

- 보건부에서 보험자연합(UNCAM)의 보고서와 각종 전문 기관의 보고서를 참고하여 차년도 건강보험 지출목표(ONDAM)의 초안을 제안하면, 의회에서 의결하여 사회보장 재정법으로 확정한다. 건강보험 지출목표가 확정되면 보건부는 부문별(병원, 의원, 노인/장애인전문 병원 등), 지역별로 목표지출액을 할당하며, 수가협상 과정에서 강제성은 없으나 주요 가이드라인으로 참고되고 있다.

프랑스의 의료보험 제도는 전 국민이 가입하며 다수의 공보험자가 존재하는 사회보험 형태를 유지하고 있다. 하지만 보험료 수입만으로는 만성적인 재정 적자가 해결되지 않고 국민 부담이 늘어나자 재정에서 보험료의 비중은 낮추고, 조세 수입 비중을 늘리는 방향으로 정책을 바꾸고 있다. 이는 단일 공보험 체제이면서도 정부의 재정 지원이 거의 없고, 국민들이 납부하는 건강보험료만으로 건강보험 재정을 운영하는 대한민국에 시사하는 바가 크다. 대한민국도 현재 건강보험 재정 적자가 심화되고 있는 상황에서 간접세를 보험재정으로 적극 활용하는 프랑스의 사례를 눈 여겨볼 필요가 있다.

프랑스 보험제도가 대한민국과 가장 다른 점 중에 한 가지는 바로 의료비 사후 환급제도이다. 현재 대한민국은 환자에게 의료행위가 이루어지면 의료기관은 환자에게 일정 금액의 본인부담금을 받고, 나머지 급여비용은 건강보험공단에 청구를 하는 의료비 청구대행 제도를 운영하고 있다. 하지만 프랑스는 의료기관이 아닌 환자가 직접 의료비를 환급 받도록 하고 있어 의료기관의 청구대행 부담을 줄여주고, 환자로 하여금 자신이 제공받은 의료행위에 대한 가치를 정확히 파악할 수 있도록 하고 있다. 이러한 방식은 불필요한 의료 이용을 줄일 수 있고, 환자가 자신의 의료 선택에 책임을 지도록 하여 의료 이용 시 신중한 판단을 하게 할 수 있다.

이 외에도 프랑스는 주치의제를 운영하면서도 1차 의료기관에 행위별 수가제를 적용하고 있다는 점, 영리 병원 설립이나 민간 보험 가입도 허용을 하고 있다는 점, 보험재정 지출 목표액을 의회에서 법으로 정하고 있으나 이는 어디까지나 수가 계약의 가이드라인으로만 작용하고 있다는 점 등이 특징적인 부분이다. 특히 당초 프랑스 정부는 보험재정 지출 목표액을 초과하는 경우 초과분을 반환받는 제도를 구상했으나, 해당 제도가 헌법 소원을 통해 위헌 판결이 나면서 총액을 강제할 수 없게 되었다. 이러한 사례는 의료비 총액을 강제하는 것이 위헌 소지가 큰 정책이라는 사실을 일깨워 주는 것으로, 총액계약제를 주장하는 대한민국의 일부 의료 사회주의자들이 반드시 알아야 하는 내용이다.

5) 네덜란드의 의료보험 제도

- 공보험이 없고 하나의 '사회민간보험' 체제로 운영되며, 다수의 민간보험사가 보험자의 역할을 하고 있다.
- 전 국민은 의무적으로 보험에 가입해야 하며(매년 보험자를 바꿀 수 있음) 보험사는 가입자를 선별 및 거부할 수 없다.

- 정부는 보건의료제도가 시장경제체제 내에서 원활하게 작동되도록 하며, 법률에 따라 표준급여 범위, 의료서비스 질을 관리 및 감독할 수 있는 권한을 가진다.

<table>
<tr><th colspan="3">2006년 이전</th><th></th><th>2006년 이후</th></tr>
<tr><td colspan="3">요양보험</td><td></td><td>요양보험</td></tr>
<tr><td>공보험</td><td>공무원
건강보험</td><td>민간
건강보험</td><td>➡</td><td>사회민간보험
(2013년 기준 1,647만 명, 전국민의 약 98%)</td></tr>
<tr><td colspan="3">보충형 민간보험(선택)</td><td></td><td>보충형 민간보험(선택)</td></tr>
</table>

- 재원조달: 가입자가 민간보험사에 내는 정액보험료(50%), 국세청이 소득에 따라 차등 부과 및 징수하여 민간보험사에 배분하는 정률보험료(45%), 정부지원금(5%)로 이루어진다.

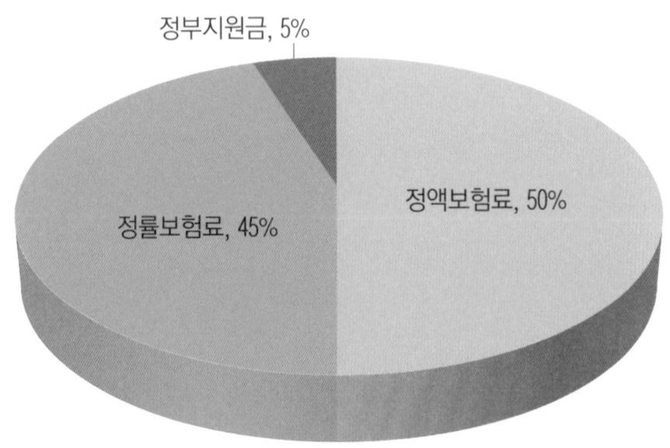

[네덜란드 보건의료 재원구성]

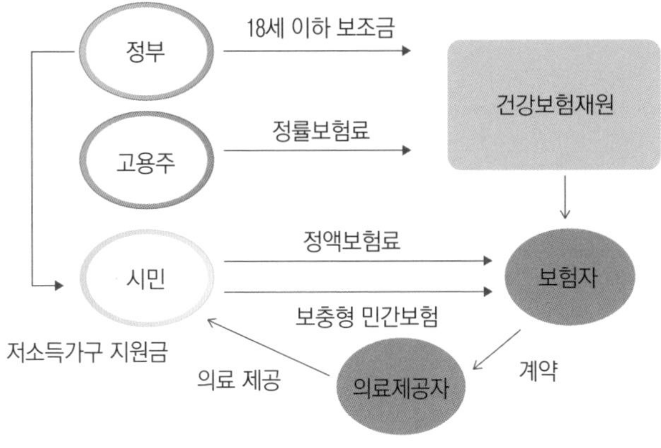

네덜란드 보건의료 재원흐름

출처: Dutch Health Care Reform at the Crossroads (2011)

- 의료전달체계는 공중보건서비스, 1차의료서비스, 2차전문서비스, 장기요양서비스로 분류할 수 있다.
- 29개 권역별로 지방자치단체에 의해 운영되는 지역보건기관에서 공중보건서비스(건강검진, 예방접종, 환경보건, 건강증진서비스 등)를 제공한다.
- 모든 시민은 자유의사에 따라 의사(GP)를 선택할 수 있으며, 특수질환(심장마비 등)을 제외하고는 1차 주치의를 거쳐야 2차 진료를 받을 수 있다(2차 진료 후송률 약 4%).
- 산부인과, 치과, 요양원 및 직업치료의 경우 주치의를 통하지 않고 진료를 받을 수 있으나 의약품 처방에 제한이 있다.
- 2차 전문의료서비스는 주치의, 치과의사, 산과진료에서 전문의료가 필요하다고 판단한 경우 제공받을 수 있다.
- 병원은 의료제공 형태에 따라 일반병원, 대학병원, 특화병원(예, 암센터), 중증외상센터로 분류되며, 당일 입원(One-day

admission) 진료를 하는 외래전문의료기관도 활성화되어 있다.

- 건강보험법에 따라 모든 보험사는 가입자에게 동일한 기본의료서비스를 의무적으로 제공하여야 하며, 부가서비스는 보험사 별로 상이한 별도의 보충형 보험을 구매해야 한다.

건강보험(Basic Health Insurance)의 기본급여

기본급여 내용
- GP, 의료기관, 전문의, 조산사가 제공하는 의료를 포함한 제반 진료 - 입원 진료 - 22세 이하 모든 치과 진료, 22세 이상에서는 치과 전문의 진료 - 보조기, 보장구 - 약제 - 조산사와 조산 보조인력이 제공하는 산모 관리 비용 - 환자가 이용한 엠뷸란스, 택시 등 비용 - 보완요법 : 만성질환자의 물리치료(단, 초기 10회/년은 제외), 운동요법, 식이상담, 언어치료 - 정신요법(외래방문환자에게 제공한 초기 8회), 정신과 입원진료

- 기본의료서비스에 들어가는 표준급여항목은 보건복지체육부 장관이 건강보험위원회의 자문을 거쳐 국회에 상정하여 건강보험법으로 정한다. 수가 계약은 보험자와 공급자단체가 협상해서 결정한다.
- 건강보험위원회는 보건복지체육부, 민간보험사, 의료공급자, 환자단체로부터 독립성을 지닌 별도의 기관으로 이사회는 의장을 포함한 3인으로 보건복지체육부 장관이 임명한다.
- 공급자단체는 보험자와의 수가 협상 이외에는 의사 결정과 관련된 위원회에 참여하지 않는다.

건강보험위원회(CVZ)

건강보험위원회는 과학자문위원회(Scientific Advisory Board), 급여자문위원회(Advisory Package Committee), 질관리위원회(Quality Advisory), 혁신위원회(Innovation Advisory care professions and training) 4개의 자문위원회를 가지고 있으며, 그 중 급여자문위원회(Advisory Package Committee)가 급여에 관한 자문을 수행하며 교수(4인), 의사(2), 전문가(3) 등 총 9인으로 구성, 아울러 건강보험위원회는 정부가 부과 · 징수한 정률보험료를 위험 균등화에 따라 보험자에 분배하는 역할도 하고 있음

보건의료감독기구(NZa)

보건복지체육부 산하 독립기구로 집행위원회(Executive Board 2인, 의장은 보건복지체육부 장관이 임명)와 이익단체를 배제한 외부 전문가로 구성된 자문위원회(Adivisory Board, 의장 1인(전 대학총장), 구성원 11인(교수 6인, 전문가 5인)으로 구성됨, 보건의료감독기구는 수가를 제안하며, 아울러 보험자협회와 공급자간 계약을 관리 · 감독함

- 1차 진료의에 대한 보상은 환자 1인당 인두제를 기본으로 하되, 표준급여항목에서 제외되는 부문(보험사별 부가서비스)의 진료는 행위별 수가제를 허용한다. 인두제 수가는 보건복지체육부 장관이 보건의료감독기구의 제안에 따라 결정한다.
- 병원에 대한 지불방식은 DTC (Case-Based Diagnosis Treatment Combinations System)를 적용하고 있다. DTC는 국가에서 수가를 결정하는 목록 A(전체의 67%)와 병원과 보험사가 협상을 통해 가격을 결정하는 목록 B(33%)로 구성된다.

DTC 정의

DTC는 DRGs 방식에서 착안한 분류체계로 DRG의 경우 진단명에 따라 치료 항목의 종합으로 가격이 산출되는 반면, DTC는 치료항목으로 분류한 체계로, 한 환자가 여러 질병이 있는 경우 DRGS 방식보다 유연하게 적용할 수 있음

- 가입자의 비용인식을 높이기 위해 연간 일정금액까지의 본인 부담금을 받고 있다. 주치의 방문(18세 이상), 산과진료비용, 22세 이하의 치과진료비용 등 필수적 의료제공을 제외한 진료와 수술의 경우에는 본인 부담금을 내야 한다.
- 의약품 가격은 인접 4개국(벨기에, 프랑스, 독일, 영국)의 도매약가를 기준으로 참조 가격제를 시행하여 결정한다
- 약제비에 대한 환자의 본인 부담은 거의 없다. 의약품의 약가가 최대 상한가보다 낮아 대부분의 급여 의약품을 무상으로 공급받고 있다.

네덜란드의 의료보험 제도는 정부와 민간보험사가 서로 협력하여 국민들로 하여금 최대한 이중 지출을 줄이면서도, 보험 가입의 자율성을 극대화시키는 방향으로 이루어진 것으로 보인다. 정부는 필수의료에 해당하는 부분에 대해서는 전국민이 보편적으로 보장받을 수 있도록 하고, 민간보험사들이 가입자를 거부할 수 없도록 규제함으로써 가입자들의 편의를 극대화시켰다. 그러면서도 보충형 민간보험 가입을 허용해 보험사들이 영업을 통해 추가 수익을 올릴 수 있도록 한 면이나 보험자인 민간보험사와 공급자단체가 협상을 통해 수가를 결정하도록 한 부분은 시장경제체제의 장점도 반영한 것으로 보인다.

가입자들의 도덕적 해이를 방지하기 위해 연간 보장금액을 설정하여 초과하는 부분은 본인부담금을 받도록 한 부분이나, 주치의를 거쳐서 2차 진료를 받을 수 있도록 의료전달체계를 만든 부분은 과도한 의료비 증가를 막기 위한 장치로 보인다. 1차 진료 지불 방식으로 인두제와 행위별 수가제를 혼용하여 통제와 자율을

적절하게 섞고 있는 부분이나 병원 진료 지불 방식으로 융통성이 보장된 DRG라고 할 수 있는 DTC를 국가가 정하는 부분과 병원과 보험사 협상으로 정하는 부분을 구분한 점도 독특하다.

전체적으로 네덜란드의 의료보험 제도는 상당히 복잡하면서도 아주 세밀한 부분까지 정부가 신경을 쓴 흔적이 많이 보인다. 어떻게 하면 의료비의 폭증을 막으면서도 필수의료의 보편적 보장을 할 것인지, 그러면서도 국민과 의료기관, 보험사의 자율성을 보장해 줄 수 있을지에 대한 고민을 오랫동안 해온 결과가 복잡하면서도 세밀한 의료보험 제도의 확립으로 이어진 것으로 보인다. 이러한 의료보험 제도의 수립 및 운영이 가능하게 된 이유는 아마도 의료정책 수립의 핵심 기구인 건강보험위원회가 정부(보건복지체육부), 민간보험사, 의료공급자, 환자단체로부터 독립성을 지닌 별도의 기관으로 운영되기 때문으로 생각된다. 의료정책을 공정한 중립기구가 만들어 나간다는 점은 정부 주도의 포퓰리즘 의료정책이 횡행하는 대한민국이 반드시 본받아야 하는 점으로 보인다.

6) 외국 의료보험 제도의 국내 도입이 어려운 이유

올바른 의료보험 제도는 확실한 정답이 있는 것은 아니다. 국가별로 지리적 여건, 민족적 특성, 사회 인프라 여건 등을 고려하여 각자 가장 적절한 의료보험 제도를 만들어 가는 것이 올바른 방향으로 생각된다. 다만 외국의 의료보험 제도 중에서도 참고하거나 본받으면 좋을 만한 제도들은 적극적으로 도입하고 국내에 적용하려는 노력이 필요하다. 하지만 현재 대한민국의 의료보험 제도나 의료 시스템상 외국의 긍정적인 제도를 도입하는 것은 쉽지 않은 일이다.

외국의 의료보험 제도의 국내 도입이 어려운 첫 번째 이유는 바로 극도로 낮은 공공의료기관 비중 때문이다. 국내 공공의료기관 비중은 병상 수 기준으로 2007년 11.8%에서 2012년 10.0%, 그리고 2015년에는 9.2%로 오히려 감소하는 추세를 보이고 있다. 반면 외국의 경우는 병상 수 기준으로 공공의료기관 비중을 보면, 영국은 100%에 가깝고, 호주 69.5%, 프랑스 62.5%, 독일 40.6%, 일본 26.4%이며, 심지어 민간의료보험 중심의 의료공급 시스템을 가지고 있는 미국도 공공의료기관 병상의 비중이 24.9%에 달한다. 외국의 경우 대부분의 필수의료나 입원의료는 공공의료기관에서 공급하고, 국가 주도 의료정책이나 보험정책도 공공의료기관만을 대상으로 적용하거나 민간 도입 전 공공에 우선적으로 적용한다. 하지만 대한민국은 이러한 국가의 책임을 민간에 떠넘긴 상태로 수십 년을 유지해왔기 때문에 외국의 제도 도입이 어려울 수밖에 없다.

외국의 의료보험 제도의 국내 도입이 어려운 두 번째 이유는 전 세계에서 유래를 찾아보기 힘든 강압적 단일 공보험 체제 때문이다. 국민보건서비스(NHS)를 하지 않고, 사회보험(NHI) 제도를 도입하고 있는 나라들은 대부분 다 보험자 체제를 유지하고 있다. 가입자의 건강보험 가입과 보험상품 선택의 자유가 없고, 민간 의료 공급자가 보험자와의 계약 여부나 수가 결정에 대한 자유가 없는 거의 유일한 국가가 바로 대한민국이다. 가입자와 공급자의 자유를 심하게 제한하는 단일 공보험 체제를 운영하고 있기 때문에,

공공의료기관의 수가 턱없이 부족하지만 외국의 공공의료기관이 하는 일을 대한민국에서는 민간의료기관이 하면서 의료 시스템을 떠 받치고 있다. 외국 선진국에서는 이러한 강압적 형태의 보험제도를 운영하지 않고 있기 때문에 국내와는 제도 운영방식이 아예 다를 수밖에 없다.

이 외에도 급격한 고령화와 저출산으로 인해 파생되는 인구 구조 변화, 외국과는 다른 대한민국만의 문화적 특성, 징병제로 인해 운영되는 군의관 및 공중보건의 제도, 단계별로 경계가 모호한 의료전달체계 등 여러 가지 이유로 인해 외국의 의료보험 제도를 국내에 성급하게 도입하기는 어렵다. 성급한 외국 의료 제도 도입의 폐해는 이미 2000년 의약분업 제도 강행으로 인해 발생한 의료비 폭증과 건보재정 파탄, 국민 불편 가중, 동네 의원 및 약국의 몰락 등의 부작용을 통해 뼈저리게 경험한 바 있다. 따라서 외국 의료제도 도입은 항상 신중하게 판단해야 한다. 대한민국의 상황에 맞으면서도 지속 가능한 의료 보험 제도를 만들기 위해서는, 분명한 원칙을 세운 상황에서 그 원칙에 따라 제도를 정비하고 적절한 외국 제도를 받아들이는 과정이 필요하다.

5

대한민국 의료보험 제도의 대안

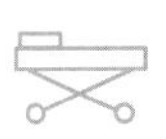

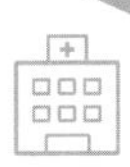

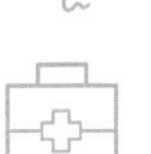

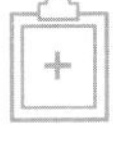

5. 대한민국 의료보험 제도의 대안

대한민국의 의료 시스템은 일견 아무런 문제가 없어 보이고, 의료 수준이나 국민 건강과 관련된 지표를 보면 매우 우수한 시스템으로까지 보여진다. 하지만 앞서 언급했던 바와 같이 현재의 대한민국 의료 시스템은 지속 가능하지도 않고, 내부적으로 곪아가는 부분이 많아 언제 무너질지 모르는 사상누각과 같은 상황에 놓여있다. 대한민국 의료 시스템이 위기에 빠지고 있는 근본적인 이유는 의료 시스템 그 자체라고도 할 수 있는 의료보험 제도의 설계와 운영이 잘못되었기 때문이고, 의료보험 제도의 설계와 운영이 잘못된 이유는 바로 제도 설계와 운영에 앞서 올바른 원칙을 세우지 않았기 때문이다.

그렇다면 올바른 의료보험 제도를 만들기 위해 세워야 할 올바른 기본 원칙은 어떤 조건을 갖추어야 하는지 생각해보아야 한다. 올바른 의료보험 제도의 기본 원칙은 자유민주주의 국가인 대한민국 헌법에 위배되지 않아야 하고, 제도의 시행으로 인해 불이익이 받는 사람 없이 공정해야 하며, 국민의 생명을 지키고 건강을 증진시키는 것을 최우선 목표로 삼아야 한다. 또한 국민 부담을 최소화하면서도 지속 가능한 재정 운용이 가능해야 하고, 의료의 질 향상을 저해해서도 안 되며, 장기적으로는 보건의료 산업의 성장까지도 도모할 수 있어야 한다. 이에 다음에는 이러한 조건에 부합하는 의료보험 제도의 기본 원칙을 제시하고자 한다.

1) 기본적이고 필수적인 의료는 보편적으로 보장되어야 한다.

응급의료, 중환자 의료, 중증질환 치료, 신생아 및 산과 진료 등의 필수의료는 생명과 직결되는 분야이기 때문에 모든 국민이 보편적으로 보장받아야 한다. 현재 필수의료 분야 인력이 줄어들고, 인프라 확충이 어려운 이유는 필수의료 분야 수가가 낮고, 정부의 지원이 미비하기 때문이다. 이에 필수의료 분야에 인력 부족 문제가 해결되고, 해당 분야가 제대로 운영되려면 관련 필수의료 관련 수가의 대폭적인 인상이 반드시 필요하다. 수가 수준은 OECD 평균 이상이 되어야 하고, 필수의료 인력들의 불가항력적 의료사고에 대한 법적 안전 장치와 지원 대책도 같이 이루어져야 한다.

일각에서는 필수의료 분야에 국가책임제를 도입하여 필수의료 분야에서 발생하는 적자를 국가가 부담하는 것을 대안으로 제시하기도 한다. 하지만 이러한 방식은 지방자치단체와 중앙 정부의 재정부담으로 인하여 필수의료 분야를 최소한만 운영하는 결과로 이어지게 되고, 필수 의료 분야의 활성화는커녕 인력 부족 문제도 해결하기 어렵다. 특히나 현재 공공의료기관의 비중이 매우 낮은 대한민국에서 이러한 방식은 현실적으로 이루어지기 어려울 뿐만 아니라, 갑작스럽게 공공의료기관 수를 늘리게 되면 국민의 혈세 낭비와 의료시장 균형이 파괴되는 결과로까지 이어질 수 있다.

따라서 자발적으로 필수의료 관련 분야가 발전하고 인력이 늘어나려면, 수가 인상과 지원책 마련이라는 정석적인 방법이 가장 효과적이고 부작용도 적다. 그리고 이러한 방향으로 정책을 설계하고 운영하는 의료보험 제도만이 국민들이 필수적인 의료를 안전하게 보장받을 수 있도록 해야 한다는 기본 원칙을 제대로 지킬 수 있는 올바른 의료보험 제도라고 할 수 있다.

2) 복수의 보험자간 경쟁을 통해서 경영과 재정 운용의 효율성이 높아져야 한다.

대한민국의 공룡화된 단일 공보험자인 건강보험공단은 현재 하나의 권력기관처럼 운영되고 있으며, 보건복지부의 지시를 받아 일을 하는 사실상 공무원과 다름없는 조직이 되어 있다. 이로 인해 건강보험공단은 관료주의, 업무의 비효율성과 유연성 부족, 복지부동 등과 같은 공무원 조직에서 나타나는 문제점들이 그대로 나타나고 있다. 대한민국 단일 공보험 제도의 문제점에 대해서는 앞서 자세히 지적하였지만, 보험 재정 운영의 방만함의 주 원인은 결국 보험자간의 경쟁이 없기 때문으로 볼 수 있다.

특정 서비스나 재화를 한 기업이나 조직에서 독점하게 되면, 대부분의 경우 소비자들은 피해를 보게 된다. 그런데 이러한 독점의 폐해가 대한민국 의료보험에서도 나타나는데, 지난 2019년 보험 재정 적자가 수 조원에 달하는 상황에서도, 건강보험공단은 직원들에게 수 억 원에 달하는 성과급을 지급하여 논란이 되었다. 건강보험 재정은 어디까지나 국민들이 납부한 건강보험료로 운영되는데, 적자 재정에도 불구하고 성과급을 지급하는 도덕적으로 해이한 조직을 국민들은 받아들일 수 없다. 따라서 복수의 보험자를 운영하여 상호 견제 및 경쟁을 유발하고, 경영의 효율화를 통해 국민들의 보험료 부담을 줄여야 한다는 이러한 원칙을 올바른 의료보험 제도를 위한 기본 원칙으로 삼아야 할 것이다.

3) 보험 가입과 선택에 있어 가입자의 자유와 선택권이 보장되어야 한다.

현재 대한민국은 전 국민이 법에 의해 건강보험에 강제가입 되어 있다. 따라서 가입자에게 보험 가입과 해지의 자유가 없고, 단일 상품이므로 가입자가 보험상품을 선택할 수도 없는 상황이다. 개인별로 경제적 수준이나 건강 상태가 다르고 가치관도 다르기 때문에, 강제적인 보험 가입과 획일적인 보험 상품은 국민들을 만족시키지 못한다. 건강보험에 만족하지 못하는 국민들이 늘어나는 만큼 사보험 가입률은 늘어나게 되고, 이는 결국 국민들의 경제적 부담으로 이어지고 있다.

문제를 해결하기 위해서는 보험 가입의 자율성과 선택권을 보장하여 국민들이 보험자와 보험상품, 보험 보장률 등을 선택할 수 있어야 한다. 이 과정에서 필수의료 분야는 의무 선택하게 하고, 이 외의 분야는 개인이 한방보험, 치과보험, 비급여보험 등의 상품을 자유롭게 선택하고 비용을 결정할 수 있게 해야 한다. 그리고 이러한 제도 변화가 가능하려면 필연적으로 건강보험 강제가입제와 요양기관 강제지정제는 폐지되거나 수정되어야 한다. 보험 가입의 자유와 보험 상품 선택권 보장은 국민 부담은 줄이면서도 만족도는 높일 수 있는 방법이므로, 의료보험 제도의 기본 원칙으로 반드시 필요하다.

4) 가입자와 보험자 사이의 정보비대칭성이 보완되어야 한다.

가입자는 보험 상품이 다양하고 복잡할 수록 그 세부 내용이나 혜택을 제대로 파악하기 어렵다. 따라서 일정 수준의 표준화된 기준을 만들지 않으면 가입자는 보험 혜택을 제대로 누리기 어렵게 된다. 반대로 보험자는 가입자의 건강 상태를 미리 파악할 수 없기 때문에, 가입자가 자신의 정보를 정확하게 밝히지 않으면 보험자의 손해율이 상승하고, 그렇다고 가입 조건을 까다롭게 하면 가입률이 하락하게 되는 딜레마에 빠지게 된다. 이렇듯 가입자와 보험자 사이에는 항상 각자의 입장에서 정보비대칭성이 존재할 수밖에 없고, 이러한 정보비대칭성을 보완하지 않으면 지속 가능한 의료보험 제도를 만들기는 어렵다.

필연적으로 존재할 수밖에 없는 이러한 정보비대칭성 문제를 보완하기 위해서는 필수의료 보험 상품은 통일시키고, 선택의료 보험 상품도 최소한의 표준을 따르도록 기준을 마련해야 한다. 또한, 필수의료 보험에서 발생한 보험자의 손실분은 정부나 공보험 기관에서 보상해주고, 선택 의료 보험에서 발생한 손실분에 대해서는 보험자가 자구책을 마련하도록 하는 방향이 합리적일 것으로 생각된다. 이러한 방식으로 정보비대칭성 문제를 보완하고 있는 국가가 네덜란드이므로, 네덜란드 식의 통제된 다 보험자 체제를 대한민국 현실에 맞게 적용해 볼 필요가 있다.

5) 가입자의 의료비 부담 증가는 최소화하면서도 보험 재정의 건전성은 확보해야 한다.

보험 가입자는 누구나 적은 보험료를 내고 보다 많은 보장을 받기를 원한다. 반대로 보험자는 보험 재정을 안정적으로 운영하기 위해 보다 많은 보험료를 받으면서도 보험금 지출은 줄이고 싶어한다. 보험 재정의 건전성이라는 측면에서 보았을 때는 보험료 수입을 늘리는 것이 가장 쉬운 방법이겠지만, 의료보험과 같이 전 국민이 필수적으로 가입하는 특수한 형태의 보험에서는 전체 국민들의 경제적인 부담이 증가하게 되면, 소비가 축소되어 국가 성장이 저해되는 결과로 이어지기 때문에 보험료 인상은 쉽게 결정할 수 있는 문제가 아니다.

하지만 보험 재정이 부실해지면 의료보험 제도 자체가 존립할 수 없기 때문에, 의료보험 재정의 건전성을 확립하기 위해서는 다양한 방법이 강구되어야 한다. 기본적으로는 앞서 밝힌 바와 같이 의료보험이 포퓰리즘 정책에 이용되어 재정이 낭비되어서는 안 되고, 보험자들간의 경쟁을 통한 경영 효율화도 반드시 필요하다. 하지만 이보다 더 확실한 안전장치는 바로 보험 재정의 수입 구조를 안정적으로 만드는 것이다. 지금까지 대한민국 건강보험은 수입이 보험료 수입과 국고 보조금뿐이었고 그나마 국고 보조금은 정해진 만큼도 지원되지 않았기 때문에, 건강보험에서는 재정 안정을 위해서 지출을 줄이는 방향으로 정책을 펼쳤다. 이로 인해 과도한 급여 삭감과 환수 조치가 벌어져 가뜩이나 저수가로 힘들어하던 의료기관들을 경제적으로 더욱 옥죄는 결과로 이어졌다.

하지만 의료기관들을 옥죄는 방식의 지출 감소 정책은 자칫 의료시스템 자체를 붕괴시킬 위험이 있고, 실제로 대한민국에서는 의료 시스템 붕괴의 징후들이 나타나고 있다. 따라서 의료 시스템을 안정적으로 유지시키면서도 의료보험 재정을 안정화시키고, 보험 가입자의 경제적인 부담을 줄이기 위해서는 보험 재정의 수입 구조를 다각화할 수밖에 없다. 보험 수입 구조 다각화의 방법은 프랑스와 같이 간접세 중 상당수를 아예 의료보험 재정 수입으로 만드는 방식도 생각해 볼 수 있고, 의료 산업이나 제약 산업의 발전 과정에서 발생하는 세금 중 일정 비율을 보험 재정 수입으로 정하는 방식도 고려해 봄직하다. 이 외에도 각계 전문가들의 논의를 통해서 보험 재정의 수입 구조 다각화 방안이 마련되어야 하고, 이러한 노력이 있어야만 보험 재정의 건전성 확보라는 올바른 의료보험 제도의 기본 원칙을 지킬 수 있을 것이다.

6) 보험자와 의료공급자는 동등한 관계에서 협상해야 하고, 민간의료기관의 경우 자유와 공정한 경쟁이 보장되어야 한다.

현재 대한민국의 모든 의료기관은 요양기관 강제지정제로 인해 계약의 자유를 박탈당하고 건강보험과의 불평등 계약을 강제로 받아들이고 있다. 계약의 자유가 없기 때문에 단일 공보험자인 건강보험공단과의 수가 협상이나 정부와의 정책 협의 과정에서도 항상 의료공급자들은 을의 입장에 있을 수밖에 없다. 하지만 이러한 불평등한 관계는 헌법상 자유와 평등권에 위배될 뿐만 아니라 의료공급자의 업무 동기 저하로 인한 의료 공급망 축소, 의료의 질 저하 등의 문제가 생길 수밖에 없고, 저수가의 고착화와 의료 관련 규제의 증가로 인해 의료 산업 발전도 저해되는 결과로 이어지게 된다.

이러한 문제점들을 해결하기 위해서는 외국처럼 공공의료기관은 정부에서 공보험에 지정하도록 하고, 민간의료기관은 공보험을 비롯한 다양한 보험자들과의 계약이 가능하도록 허용하여 보험자와 의료공급자가 동등한 관계에서 협상할 수 있도록 해야 한다. 이러한 다양한 계약 관계가 가능해지고 동등한 협상이 가능해지게 되면, 다양성 속에서 여러 가지 합리적인 계약 모델이나 수가 모델 등이 개발되어 제도의 혁신으로 이어질 수 있게 된다. 그리고 이러한 다양성과 자유는 의료 산업 발전의 기폭제로 작용할 수 있다.

현재 민간의료기관들은 서로 경쟁하면서 소비자에게 보다 나은 의료서비스를 제공하기 위해서 노력하고, 다양한 의료 관련 아이템을 개발하려고 하고 있다. 하지만 강제지정제와 단일 공보험제로부터 파생된 다양한 규제들로 인해 이러한 노력에는 한계가 있고, 그마저도 제도의 수혜를 입고 있는 상급의료기관들이 경쟁에서 유리한 고지를 점령하고 있어 불공정한 경쟁이 벌어지고 있다. 실제로 3차 의료기관들은 지방에 분원을 만들어 지역 의료 시장을 잠식하고 있고, 심지어 1차 의료분야까지 넘보고 있는 현실이다.

민간의료기관들의 자유롭고 공정한 경쟁을 보장하기 위해서는 앞서 언급한 계약의 자유와 더불어 공급자 규모에 따라 동일 규모 내에서 경쟁이 가능하도록 시스템을 만드는 작업이 필요하다.

그리고 이러한 경쟁 시스템은 현재 왜곡되어 있는 의료전달체계의 재정립과 함께 이루어져야만 의료 공급망과 인프라 확충으로 이어져 전체 의료시스템 발전에 도움이 된다. 따라서 보험자와 의료공급자간의 동등한 협상이 가능하도록 하는 계약의 자유와 민간의료기관들의 자유롭고 공정한 경쟁 체계는 올바른 의료보험 제도의 기본 원칙으로 반드시 필요하다.

7) 의료서비스 남용을 막기 위한 방안으로 가입자의 선택권 제한보다는 인센티브와 책임 강화를 적절하게 운용하여 가입자가 자율적으로 판단하고 선택할 수 있도록 한다.

현재 대한민국은 경제 수준에 비해 낮은 의료비 지출, 낮은 수가, 높은 의료접근성과 높은 실손보험 가입률 등의 원인으로 인해 의료이용률이 OECD 최고 수준을 기록하고 있다. 국민들의 높은 의료이용률을 반드시 남용이라고 볼 수는 없지만, 일부 사람들의 도덕적 해이로 인한 남용 행태는 일반 국민들에게까지 의료서비스 남용을 부추기고 있다. 외국에서는 의료서비스 남용을 막기 위한 방법으로 높은 의료 수가 책정, 주치의제 도입을 통한 의료기관 선택권 제한, 1년 정액 이상 의료비 사용시 본인 부담금 확대 등의 방법을 사용하고 있다.

하지만 이미 수십 년간 낮은 본인 부담금과 자유로운 의료기관 선택권에 익숙해져 있던 국민들에게, 갑작스럽게 본인 부담금을 높이거나 의료기관 선택권을 제한하는 정책을 펼치게 되면 강한 저항을 불러일으킬 수밖에 없다. 따라서 가입자의 선택권을 제한하는 이러한 방식으로는 의료서비스 남용을 효과적으로 막을 수 없고, 가입자 스스로 의료서비스 남용을 자제할 수 있도록 유도하는 방향으로 정책이 이루어져야 한다.

예를 들면, 자동차보험처럼 의료서비스 이용률이나 이용액이 연령별 평균에 비해 낮은 가입자에게는 의료 보험료를 할인해 주는 방식으로 인센티브를 주거나, 프랑스처럼 전체 의료비를 본인이 직접 의료기관에 계산하게 하고, 보험자에게 개별적으로 보험금을 청구하게 해서 자신의 의료비 지출 규모를 현실감 있게 느끼게 하는 방법이 있을 수 있다. 또한, 경증 질환 진료의 경우 정해진 기간을 잘 준수하면서 1차 의료기관을 이용하면, 가입자에게 본인부담금 감면 혜택과 함께 약제비 감면 혜택도 같이 주는 방안도 고려할 수 있다. 이렇듯 가입자들의 의료서비스 남용 방지는 제한책보다는 유도책을 사용하는 쪽으로 의료보험 제도를 설계해야 보다 더 효과를 볼 수 있을 것이다.

8) 의료의 질 향상을 도모할 수 있어야 하고, 효과와 안전성이 검증된 새로운 의료 기술 및 약제 등을 신속하게 도입할 수 있어야 한다.

과학의 발전과 더불어 현대 의학은 매우 빠른 속도로 발전하고 있으나, 인간의 질병 중에는 아직도 정복되지 않은 것이 너무나 많고, 코로나19 팬데믹 사태에서 보듯이 새로운 감염병이나 질병은 수시로 출현하여 인류를 괴롭히고 있다. 따라서 의학은 연구 분야도 무궁무진하고 발전 가능성도 높은 분야이며, 지금 이 시간에도 새로운 약제나 치료법 등에 대한 연구 결과가 쏟아져 나오고 있다.

따라서 현재의 진단법이나 치료법을 지속적으로 바꾸고 변화시키지 않는다면, 전 세계의 발전된 의학 수준과 비교하여 뒤쳐지는 결과로 이어져 결국 의료의 질 하락으로 이어지게 된다.

국민들은 끊임없이 높은 수준의 의료를 원하고 있고, 보다 저렴하면서도 효과 좋은 약제나 치료법을 원하고 있다. 결국 한 국가의 의료 시스템이 지속 가능하려면 의료의 질 향상은 필수불가결한 요소이며, 의료의 질 향상을 유도할 수 있는 의료보험 제도는 반드시 필요하다. 하지만 새로운 치료제나 의료기술이 개발되었다고 해서 이를 무작정 의료보험에서 적용하기에는 무리가 따른다. 당연히 효과와 안전성 측면에서는 검증이 된 신의료기술이나 신약이지만, 가격이 너무 높다면 의료보험 재정에 큰 부담을 줄 수 있기 때문에 도입을 신중하게 고려해야 한다. 그렇다고 너무 신중하게 되면, 의학 발전 속도에 뒤쳐지게 되고, 가격과 상관없이 신의료기술이나 신약 적용을 원하는 국민들도 있을 수 있기 때문에 이에 대한 고려도 반드시 필요하다.

결국 효과와 안전성이 검증된 새로운 의료 기술 및 약제 등을 신속하게 도입하여 의료의 질 향상을 도모하려면, 비급여 제도의 존재는 반드시 필요하다. 현재 대한민국은 문재인 케어 이후 비급여 의료를 마치 부도덕하고 불필요한 의료로 취급하면서, 축소시키고 없애려고 하고 있다. 하지만 지금까지 대한민국 의료가 발전하고 세계 어느 국가에 비해서도 뒤지지 않는 의료 수준을 유지할 수 있었던 배경에는 비급여 의료의 역할을 빼놓을 수는 없다.

따라서 비급여 의료 행위를 제한하거나 축소시키지 말고, 효과와 안전성은 검증되었으나 비용효과성에서 보험 적용이 어려운 신의료기술과 약제 등은 빠르게 비급여 항목으로 지정해서 관리해야 한다. 그리고 국민들로 하여금 해당 비급여 의료에 대해서 충분히 알 수 있는 정보를 주고, 비용을 개별 부담하게 하거나 비급여 의료보험 등의 상품을 통해서 선택할 수 있도록 제도를 마련해야 한다. 또한 아무리 고가의 약제나 치료법이라고 하더라도 일부 항암제와 같이 생명과 직결되어 있으면서도 적용 대상이 매우 제한적인 경우에는 비급여 항목으로 두지 말고, 필수의료의 영역이므로 의료보험에서 지원할 수 있도록 해야 한다.

9) 보건의료 정책 결정은 의료 전문가들로 이루어진 기구의 자문에 따라야 하며 자문기구의 중립성과 독립성은 법적으로 보장되어야 한다.

의료보험이 정부의 주도로 이루어지는 공보험 체제를 유지하는 국가들의 공통적인 문제는 바로 의료보험이 정치적인 목적에 의해 수시로 이용될 수 있다는 점이다. 공보험 체제를 유지하는 상당수의 국가에서는 의료를 일종의 복지의 한 분야로 간주하여 포퓰리즘 정책에 악용하는 사례가 많았고, 이를 통해 의료 시스템이 위기에 직면한 경우도 많았다. 특히나 정부가 의료와 관련된 모든 정책을 결정하는 관치의료 시스템을 만들고 의료를 정치적으로 이용했던 구 소련을 비롯한 공산주의 국가들은 의료시스템 붕괴로 인해 낙후된 의료 수준과 인프라를 가지게 되었고, 이는 현재까지도 쉽게 회복되지 못하고 있다.

이에 공보험을 유지하면서도 비교적 높은 의료 수준을 유지하는 국가들은 대부분 보건의료 정책 결정을 중립적인 기구에서 하거나, 정부가 최종 결정하더라도 독립적이고 중립적인 자문기구의 자문에 따르도록 하고 있다. 반면에 대한민국의 보건의료 정책 결정 과정을 보면 대부분 보건복지부나 건강보험공단, 건강보험심사평가원 등에서 자신들이 필요한 정책을 만들고 정책의 근거를 마련하기 위해 관련 연구 용역을 관변학자들에게 발주하여 연구 보고서를 받는다. 그런 이후에는 해당 정책을 건강보험정책심의위원회(건정심)에서 심의하여 의결하고, 최종적으로 보건복지부가 승인하는 절차를 가진다.

결국 현재 대한민국의 보건의료 정책은 정부의 주도하에 이루어지고 있고 건정심이라는 심의 및 의결 기구를 거치기는 하지만 건정심 역시도 불합리한 인적 구성을 가지고 있어 정부가 원하는 방향으로 결과가 도출될 수밖에 없다. 따라서 대한민국 보건의료 정책은 정부의 정치적인 목적에 의해 만들어지고 있고, 이로 인해 보건의료 분야에서 포퓰리즘 정책이 끊임없이 남발되고 있다. 하지만 앞서 공산권 국가들의 예에서도 보았듯이 의료가 정치적으로 이용되기 시작하면, 의료 시스템은 붕괴되고 국민들의 건강은 위협받을 수밖에 없다.

국민들의 건강과 생명을 지키기 위해 지속 가능하면서도 높은 수준의 의료시스템을 유지하는 것은 의료보험 제도가 반드시 지향해야 할 가치이기 때문에, 보건의료 정책은 정치적으로 중립적이면서도 독립적인 의사결정 구조에 의해 만들어져야 한다. 따라서 보건의료 정책 결정은 의료 전문가들로 이루어진 기구의 자문에 따르도록 제도화해야 하며, 자문기구의 중립성과 독립성은 법적으로 보장되어야 한다. 올바른 의료보험 제도를 만들기 위해서는 보건의료 정책의 독립성과 중립성은 필수불가결한 것이기 때문에 올바른 의료보험 제도의 기본 원칙에 포함되어야 마땅하다.

결문

바른 의료를 누리기 위해서 우리는 무엇을 해야 하는가?

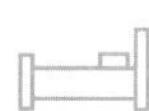

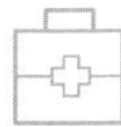

바른 의료를 누리기 위해서 우리는 무엇을 해야 하는가?

전쟁의 폐허 속에서 불가능할 것 같았던 경제 발전을 이룩하며 발전해 온 대한민국은 급속한 경제 발전의 이면에 수 많은 문제점들을 안고 있었고, 이러한 문제점들은 결국 외환 위기 및 IMF 구제 금융 신청, 수 많은 기업들의 도산 및 구조조정이라는 결과로 이어져 전 국민에게 큰 충격을 주었다. 이 때의 후유증은 지금까지도 이어지면서 많은 사회 갈등과 혼란의 원인이 되고 있다. 이렇듯 단계적으로 문제를 발견하고 해결해 나가면서 성장을 이룩하는 방식이 아니라, 정부 및 일부 집단이 주도해서 급속하게 이루어지는 성장과 발전에는 부작용이 따르게 마련이다.

대한민국의 의료보험 제도는 경제 발전과 함께 정부의 주도하에 급속하게 만들어지고 발전해왔기 때문에 수 많은 문제점들을 가지고 있고, 이러한 문제점들은 언제든지 대한민국 의료시스템을 붕괴로 이끌 수 있는 시한폭탄이 되어 의료시스템 곳곳에 숨어 있다. 대한민국의 의료보험 제도는 여러 가지 문제가 있지만 가장 핵심적인 문제점을 꼽으라고 한다면, 그것은 바로 저부담-저보장-저수가로 이어지는 3저(底)구조와 강제지정제와 단일 공보험 제도를 통해 만들어지는 관치의료라고 할 수 있다. 따라서 대한민국 의료시스템을 안정화시키고, 의료보험 제도를 올바른 방향으로 이끌기 위해서는 바로 3저(底)구조와 관치의료 시스템 문제를 해결하면 된다.

그러나 수십 년의 기간 동안 3저(底)구조와 관치의료 시스템으로 인해 만들어진 대한민국 의료시스템의 왜곡과 이로 인해 파생된 문제들로 인해 문제 해결은 결코 쉽지 않은 상황이다. 왜곡된 시스템으로 인해 문제점들은 유기적으로 얽혀있어 한 가지 문제를 해결하려 들면, 다른 부분에서 또 다른 문제가 발생하고 있기 때문이다. 하지만 문제 해결이 어렵다고 해서 계속 손을 놓고 있으면, IMF 위기까지 맞았던 경제 분야처럼 보건의료 분야도 반드시 위기를 맞이하게 된다. 이에 문제 해결 과정에서 진통이 발생하더라도 참아내면서 끈질기게 의료시스템의 문제를 해결하려고 노력해야 하며, 그 노력의 중심에는 대한민국 의료보험 제도의 개혁이 포함되어야 한다.

올바른 의료보험 제도를 만들기 위해서는 섣불리 외국의 제도를 도입하기 보다는 국내와 외국의 상황을 면밀히 비교하고, 대한민국의 사정에 맞은 형태로 제도를 갖추려는 노력을 해야 한다. 또한 올바른 의료보험 제도를 만들기 위한 기본 원칙을 수립하고, 이 원칙에 맞게 제도를 정비해야만 일관성 있고 유기적인 제도를 만들어 낼 수 있다. 이 글에서는 올바른 의료보험 제도의 기본 원칙으로 아래 9가지의 원칙을 제시했다.

- 기본적이고 필수적인 의료는 보편적으로 보장되어야 한다.

- 복수의 보험자간 경쟁을 통해서 경영과 재정 운용의 효율성이 높아져야 한다.
- 보험 가입과 선택에 있어 가입자의 자유와 선택권이 보장되어야 한다.
- 가입자와 보험자 사이의 정보비대칭성이 보완되어야 한다.
- 가입자의 의료비 부담 증가는 최소화하면서도 보험 재정의 건전성은 확보해야 한다.
- 보험자와 의료공급자는 동등한 관계에서 협상해야 하고, 민간 의료기관의 경우 자유와 공정한 경쟁이 보장되어야 한다.
- 의료서비스 남용을 막기 위한 방안으로 가입자의 선택권 제한보다는 인센티브와 책임 강화를 적절하게 운용하여 가입자가 자율적으로 판단하고 선택할 수 있도록 한다.
- 의료의 질 향상을 도모할 수 있어야 하고, 효과와 안전성이 검증된 새로운 의료 기술 및 약제 등을 신속하게 도입할 수 있어야 한다.
- 보건의료 정책 결정은 의료 전문가들로 이루어진 기구의 자문에 따라야 하며 자문기구의 중립성과 독립성은 법적으로 보장되어야 한다.

언급한 9가지 기본 원칙 이외에도 올바른 의료보험 제도를 만들기 위한 원칙은 더 만들어져야 하고, 많은 의료 전문가들이 머리를 맞대어 지속 가능하면서도 올바른 의료보험 제도를 만들 수 있는 구체적이고 실질적인 방안 역시 마련되어야 한다. 이것이 바로 의료보험 제도 개혁의 시작이며, "바른 의료를 누리기 위해서 우리는 무엇을 해야 하는가?"라는 질문에 대한 대답이 될 수 있다. 이제 시간이 얼마 남지 않았다. 더 이상 미루면 대한민국 의료 시스템의 붕괴는 피할 수 없을 것이다. 대한민국 정부와 의료계, 그리고 이 사회 전체가 문제의 심각성을 깨닫고 행동을 시작해야만 파국을 막고, 국민들이 바른 의료를 누릴 수 있는 시스템을 만들 수 있음을 명심해야 한다.

2022년 코로나19 팬데믹으로 무너져가는 의료 현장에서…